# DITECTIFS
# CYSGU CŴL

# DITECTIFS CYSGU CŴL

Louis Catt

Addasiad Siân Lewis

GOMER

*Argraffiad cyntaf—2000*

Hawlfraint y testun: © Louis Catt, 1999

ⓗ y testun Cymraeg: Siân Lewis, 2000 ©

ISBN 1 85902 895 0

Teitl gwreiddiol: *Sleepover Girls go Detective*

Cyhoeddwyd gyntaf ym Mhrydain yn 1999
gan HarperCollins Publishers Ltd.,
77-85 Fulham Palace Road, Hammersmith
Llundain, W6 8JB

Mae Louis Catt wedi datgan ei hawl dan
Ddeddf Hawlfraint, Dyluniadau a Phatentau 1988
i gael ei chydnabod fel awdur y llyfr hwn.

Dymuna'r cyhoeddwyr gydnabod cymorth
Adrannau Cyngor Llyfrau Cymru.

*Argraffwyd gan*
*Wasg Gomer, Llandysul, Ceredigion SA44 4QL*

# CIT CYSGU CŴL

1. Sach gysgu
2. Gobennydd
3. Pyjamas neu ŵn nos (coban i Sara!)
4. Slipers
5. Brws dannedd, pâst dannedd, sebon ac yn y blaen
6. Tywel
7. Tedi
8. Stori iasoer
9. Bwyd ar gyfer y wledd ganol nos:
   siocled, creision, losin, bisgedi.
   Beth bynnag rwyt ti'n hoffi.
10. Tortsh
11. Brws gwallt
12. Pethau gwallt - bòbl, band gwallt, os wyt ti'n eu gwisgo nhw.
13. Nicers a sanau glân
14. Dillad glân ar gyfer fory
15. Dyddiadur y Clwb a cherdyn aelodaeth

# PENNOD UN

Helô. Mae'n dda gen i gwrdd â ti. Croeso cynnes i'r Clwb Cysgu Cŵl.

Nawr on'd ydw i'n dechrau'n well nag Ali a Sam? Maen nhw'n plymio i mewn i'r stori'n syth, ond mae Mam yn dweud wrtha i am ofalu bod yn gwrtais *bob amser*. Mae'r lleill yn tynnu 'nghoes i, achos dwi ddim yn hoffi rhuthro o gwmpas 'run fath â nhw—ond rhaid i *rywun* fod yn gall, on'd oes? Mae Mam yn dweud fod y lleill yn rhy wyllt weithiau, a dyw hi ddim am i fi eu dilyn nhw. Ond weithiau mae'n *hwyl*. Er enghraifft, pan oedden ni'n sgrechian fel cathod y tu allan i dŷ Mrs Bowen a phan daflodd hi fwcedaid o ddŵr dros Ali a Sam . . . ond dwi ddim i fod sôn am hynny nawr. (Paid â phoeni—fe gei di'r manylion i gyd yn y man. Wna i ddim anghofio!)

Falle dylwn i fod wedi dechrau drwy ddweud "Sut wyt ti?" Neu ydy hynny'n beth twp? Ta beth, fy enw i yw Ffion Medi Sidebotham a dwi'n ddeg oed. Fi yw'r hyna yn y Clwb Cysgu Cŵl. Dwi'n cael fy mhen-blwydd ar Fedi 16. Pan o'n i'n fach, doeddwn i ddim yn hoffi bod yn hŷn na phawb arall yn y dosbarth, ond does dim cymaint o ots gen i nawr. Mae'n eitha hwyl.

Os wyt ti eisiau gwybod sut un ydw i, mae gen i wallt sgleiniog, sgleiniog a dwi'n fain iawn. Mae Mam yn dweud 'mod i'n siapus a hi ddylai wybod. Mae hi'n dechnegydd harddwch. Mae'n braf cael mam sy'n deall popeth am wallt a cholur a phethau. Mae Mam yn gofalu bwyta bwydydd iach, a finne hefyd. Dwi ddim am fod yn dew. *Iych!*

Dwi'n byw gyda Mam ac Andy, fy llysdad, ac mae gen i frawd bach o'r enw Twm. Weithiau mae Twm yn iawn, ond weithiau byddai'n well gen i petai e'n ferch. Petai Twm yn chwaer i fi, gallen ni siarad am ddillad a phethau. Mae fy nhad go iawn wedi priodi rhywun arall ac mae gyda nhw ferch fach annwyl, ond dim ond babi yw hi a dyw hi ddim yn gallu siarad. Mae hi'n ferch fach bert iawn. Mae Mam yn dweud 'mod i'n bert hefyd, ond weithiau dwi ddim yn siŵr. Mae'n anodd dweud pan fyddi di'n edrych ar dy lun yn y drych. Pan mae Twm eisiau 'ngwylltio i, mae e'n dweud bod gen i drwyn fel tomato mawr fflat, ond dw i ddim yn credu hynny. Dim o gwbl. Fel 'na mae bechgyn.

Wyt ti'n meddwl bod merched yn well na bechgyn? Dwi'n meddwl hynny ar y cyfan—heblaw am Rhidian Scott. Mae e yn ein dosbarth ni. Mae Rhidian yn bêl-droediwr ffantastig, a phan wyt ti'n siarad ag e, mae e'n ddiddorol dros ben. Wel, dyna be dw i'n feddwl—ond mae Ali a Sam a Mel a Sara'n chwerthin am fy mhen i. Mae Mam yn dweud eu bod nhw'n eiddigeddus am fod Rhidian yn fy hoffi i'n well na nhw—ond dw i ddim yn credu bod ots gyda nhw.

Wyt ti'n 'nabod y merched eraill sy'n y Clwb Cysgu Cŵl? Enwau dwy ohonyn nhw yw Ali a Sam. Maen nhw'n ffrindiau gorau. Weithiau—rhyngot ti a fi—dwi'n teimlo

ychydig bach yn unig yn yr ysgol. Ac
weithiau dwi'n teimlo fel 'na yn y Clwb. Mae
Ali a Sam yn cytuno mor dda. Maen nhw'n
hoffi chwarae triciau ond dw i ddim. Unwaith
fe roddon nhw waed ffug ar y llwybr yng
ngardd Sam. Ro'n i'n meddwl mai gwaed go
iawn oedd e . . . a bues i bron â llewygu!
Roedd fy mhennau gliniau fel jeli a 'mhen i'n
troi ac wedyn dwedodd Sara fod fy wyneb i'n
wyrdd. Roedd rhaid i Sam nôl te poeth gyda
digon o siwgr i fi a lapio dwfe amdana i. Dyna
beth wyt ti'n wneud pan fydd rhywun wedi
cael sioc. Oeddet ti'n gwybod? Mae Sam am
fod yn ddoctor ar ôl tyfu lan, felly mae hi'n
deall pethau fel'na. Mae ei thad yn ddoctor.

O! Dwi ddim yn drefnus iawn. Wyt ti wedi
drysu? Gobeithio nad wyt ti. Fe a' i'n ôl i'r
dechrau a chyflwyno'r lleill i ti un ar y tro.


Ali yn gynta. Does dim brawd na chwaer gan
Ali, ond mae gyda hi gi o'r enw Pepsi. Dwi'n
hoffi Pepsi, achos dyw hi ddim yn neidio lan a
rhoi ei phawennau brwnt drostoch chi i gyd.
Amser maith yn ôl roedd gan Ali gath o'r enw
Mwffin, ond fe gafodd hi ei lladd ar yr hewl.

Wyt ti'n meddwl 'mod i'n od, yn sôn am gath wedi marw? Wel, dwi ddim. Oni bai bod Ali'n gweld eisiau Mwffin, fyddai hi ddim wedi . . . *Wps!* Anghofiais i! Cyflwyno'r Clwb Cysgu Cŵl ydw i nawr. Alla i ddim dweud y stori wrthot ti eto. Ond cofia beth ddwedais i am Mwffin. Iawn?

A dyna i ti Sam. Fel dwedais i, mae hi eisiau bod yn ddoctor. Mae gyda hi ddwy chwaer, ac mae hi'n gorfod rhannu ei stafell wely â'i chwaer Bethan. Dw i ddim yn gorfod rhannu, diolch byth. Mae Bethan yn *erchyll*— Bethan Bwystfil yw ein henw ni arni. Mae hi wastad yn achwyn am Sam—er dw inne'n meddwl bod Sam braidd yn anniben. Os edrychi di dan ei gwely, fe weli di *lond lle* o ddillad brwnt. Mae hi hyd yn oed yn cadw sach o fwyd llygod mawr o dan ei gwely— IYCH! Drwy lwc mae llygoden fawr Sam yn byw yn y garej. Fyddwn i byth yn gallu cysgu yn nhŷ Sam petai'r llygoden yn byw yn y stafell wely. (Dyna mae Sam eisiau!) Byddwn i'n cael breuddwydion cas am gynffonnau llithrig a dannedd main miniog drwy'r nos.

Dwi ddim wedi sôn am Mel a Sara eto.

Mae Sara fel fi. Dyw hi ddim yn byw gyda'i thad. Mae gyda hi chwaer fawr o'r enw Esme (Ems i ni) a brawd hŷn o'r enw Ian sy'n defnyddio cadair olwyn. Mae ei thŷ yn go debyg i dŷ Mel: mae'n anniben iawn ac mae angen cot o baent ar y waliau. Mae Sara'n dweud bod ei thad yn addo dod yn ôl i wneud y gwaith, ond dyw e byth yn dod. Byddwn i'n casáu cael stafell Sara. Mae gen i bapur wal tlws iawn ar wal fy stafell wely a gadawodd Mam i fi ddewis y llenni a'r carped.

Oes 'na rywun ar ôl? O oes—Mel. Mae gan Mel ddau frawd sy'n hŷn na hi a dau frawd iau. Mae hi'n byw mewn tŷ mawr anniben gyda phethau dros y lle, ac mae ei thad byth a hefyd yn gweithio ar y tŷ. Dwi'n meddwl y dylen nhw ofyn i Andy, fy llysdad, am help i roi trefn ar bethau (mae Andy'n blastrwr taclus iawn) ond wnân nhw ddim. Mae'n od, ond dwi'n meddwl eu bod nhw'n hoffi'r tŷ fel mae e . . . ac mae e'n eitha cyffyrddus. Does dim rhaid i ti boeni am sarnu bwyd neu ofalu bod y clustogau'n dew braf, fel yn tŷ ni. Mae ci gan Mel ond dyw e ddim cystal â chi Ali. Mae e'n cyfarth drwy'r amser ac yn rhuthro dros y lle. Weithiau mae e'n neidio ar dy gôl gyda'i bawennau gwlyb, bawlyd ac iychi. Mae tair cath ganddi hefyd . . . Fferins, Da-da a Losin. Losin oedd y rheswm pam oedd rhaid i ni fod yn dditectifs . . . achos un diwrnod aeth Losin ar goll!

# PENNOD DAU

Pan ddiflannodd Losin, fe dorrodd Mel ei chalon. Daeth i'r ysgol yn hwyr ac roedd ei llygaid yn goch. Dwedodd Mrs Roberts—ein hathrawes—fod cathod yn aml yn crwydro, ond dwedodd Mel fod Losin *bob amser* yn dod adre am chwech o'r gloch i gael bisgedi cath.

"Pryd oedd y tro diwetha y gwelaist ti hi?" gofynnodd Ali.

"Bore ddoe," meddai Mel gan snwffian yn uchel. "Roedd hi'n llyo'r menyn a gwaeddais i arni. Falle'i bod hi wedi rhedeg i ffwrdd achos 'mod i mor gas."

"*Ieeee!*" Gwenodd yr M&Ms ar ei gilydd. "Rwyt ti'n greulon! *Druan* â pwsi fach. Mae hi wedi rhedeg i ffwrdd i fyw gyda rhywun caredig!"

Ydw i wedi sôn wrthot ti am yr M&Ms? Eu henwau iawn yw Emma Davies ac Emily Mason. Maen nhw'n ein casáu ni ac rydyn ni'n eu casáu nhw. Maen nhw wastad eisiau gwneud tro gwael â ni—ac ambell waith maen nhw'n wirioneddol filain.

Y tro hwn ro'n i'n meddwl eu bod wedi llwyddo. Roedd Mel wedi troi ei chefn arnyn nhw, ond roedd ei hysgwyddau'n crynu. Roedd hi'n chwythu ei thrwyn yn galed iawn hefyd. Edrychais i'n gas ar yr M&Ms, ac fe wnaeth Sam 'run fath.

"Os ydych chi'n gwneud hwyl am ben rhywun sy wedi colli ei chath, rydych chi'n fwy ffiaidd nag a feddyliais i!" meddai Sam.

Gwnaeth yr M&Ms eu gorau i beidio â gwenu, ond allen nhw ddim stopio'n gyfan gwbl. Roedd Mel yn dal i ofidio. "Roedd y tywydd mor oer neithiwr," llefodd. "Dyw Losin *byth* yn aros mas drwy'r nos. Mae hi'n cysgu ar waelod y gwely ac yn cadw bysedd fy nhraed yn dwym."

Rhoddodd Ali ei braich am ysgwyddau Mel wrth i'r M&Ms sibrwd yng nghlustiau'i gilydd ac yna sgrechian chwerthin.

"Be sy mor ddoniol?" gofynnodd Ali.

Atebon nhw ddim, dim ond dal i chwerthin.

Aeth Ali draw atyn nhw'n syth. A Sam hefyd.

"Rhannwch y jôc gyda ni!" meddai Ali. Roedd hi'n swnio'n ffyrnig iawn.

Stopiodd Emma chwerthin. "Dim ond chwarae dwli oedden ni," meddai. "Os ydych chi'n gofidio am y gath, mae'n flin iawn gyda ni."

Doedden nhw ddim yn edrych yn flin o gwbl. "Mae cathod wastad yn crwydro," meddai Emily. "Mae'n cath ni'n mynd mas bob nos." Dechreuodd giglan eto. "Roedden ni'n meddwl falle bod dy fam wedi camgymryd y gath am botel dŵr twym ac wedi ei hongian yn y cwpwrdd!" A dyma'r ddwy'n chwerthin dros y lle.

Ro'n i am fynd i ddweud wrth Mrs Roberts, ond dwedodd Mel am beidio â ffwdanu. Roedden ni'n gwybod bod yr M&Ms yn hollol pathetig, meddai hi, a nawr roedden nhw'n profi hynny eu hunain.

"Peidiwch â chymryd sylw ohonyn nhw," meddai Sara. "Dim ond eu gwneud nhw'n waeth fyddwn ni."

Dwi'n meddwl bod Sara'n iawn. Mae hi'n deall sut i drin pobl; falle achos bod rhai pobl ddwl yn galw enwau ar ei brawd.

Y funud honno canodd y gloch ac roedd yn rhaid i ni fynd yn ôl i'r dosbarth. Roedd Mrs Roberts yn garedig iawn wrth Mel—drwy lwc!—achos fe gafodd Mel bob gair yn anghywir yn y prawf sillafu.

Hanner ffordd drwy'r prynhawn gwelais i Ali'n estyn nodyn i Mel.

Darllenodd Mel y nodyn (roedd Mrs Roberts yn sgrifennu ar y bwrdd du) ac yna fe estynnodd hi'r nodyn i fi. Dyma fe:

HEI! MAE GEN I SYNIAD! OS NA FYDD LOSIN WEDI CYRRAEDD ADRE HENO, MAE'N SIŴR BOD RHYWUN WEDI EI DWYN . . . FELLY RHAID I NI FOD YN DDITECTIFS CYSGU CŴL A MYND I CHWILIO AMDANI!!!!!

Edrychais ar Mel. Roedd hi wedi sythu ei hysgwyddau ac roedd hi'n gwenu ar Ali. Estynnais y nodyn i Sara a dyma hi'n ei ddarllen hefyd. Yna fe gafodd Sam y neges a dwedodd hi "IEEEE!" mor uchel nes i Mrs Roberts droi i edrych arni.

"Ydw i'n colli rhywbeth?" meddai.

Fe wnaethon ni'n gorau i edrych fel petaen ni'n gweithio'n arbennig o galed. Wrth gwrs roedd rhaid i'r M&Ms gario claps.

"Roedden nhw'n pasio neges," meddai Emma, ac edrychodd arnon ni gyda gwên fawr gas ar ei hwyneb.

"Oedden, Mrs Roberts," meddai Emily. "Gwelais i nhw hefyd."

Nawr, fel arfer does dim yn waeth gan Mrs Roberts na gweld rhywun yn pasio neges. Mae hi'n dweud bod hynny'n beth slei, ac os oes gyda ni rywbeth i'w ddweud, dylen ni sefyll ar ein traed a'i ddweud e. Mae hi'n dweud ei fod e'n beth anfoesgar iawn ac yn dangos diffyg parch tuag ati. Ond y tro hwn, fe edrychodd hi'n gam ar Emma ac Emily.

"Diolch," meddai. "Os bydda i eisiau i rywun roi adroddiad ar weithgareddau preifat y dosbarth, fe ofynna i i chi'ch dwy. Ond yn y cyfamser, dwi'n awgrymu bod pawb yn mynd 'mlaen â'u gwaith."

Sblat! Roedd yr M&Ms yn fflat! Roedden ni mor lwcus, allen ni ddim credu. Plygon ni dros ein llyfrau a gweithio'n galed tan ddiwedd y wers, pan oedd hi'n amser mynd adre.

Ar ôl clirio'n llyfrau a rhoi'r cadeiriau ar y byrddau, aeth Ali'n syth at Mrs Roberts. Roedd y nodyn yn ei llaw. Cerddodd heibio i'r M&Ms a gwelais i nhw'n syllu.

"Mae'n ddrwg gen i, Mrs Roberts," meddai Ali. "Fe wnes i roi nodyn i Mel. Ond doedd e ddim yn nodyn drwg. Dyma fe i chi gael ei ddarllen. Ro'n i eisiau codi'i chalon hi."

Gwenodd Mrs Roberts ar Ali a gollyngodd y nodyn i'r fasged sbwriel.

"Dyna o'n i'n amau," meddai. "Ond paid â gwneud hynna eto, cofia." Ac aeth i orffen clirio gyda gwên ar ei hwyneb.

Roedd yr M&Ms yn edrych yn swp sâl!

Pan aethon ni drwy'r gât, rhoddodd Ali "HWRÊÊÊÊÊ!" fawr a gwaeddodd pawb arall hefyd. Wedyn dwedodd Sam y dylen ni roi tair hwrê i Mrs Roberts, a dyna wnaethon ni. (Fe waeddon ni'n uchel iawn, achos roedd yr M&Ms yn digwydd mynd heibio ar y pryd!)

Yna cydiodd Ali ym mraich Mel. "Wnei di'n ffonio ni os yw Losin yn dal ar goll?"

gofynnodd. "Os yw hi, rhaid i ni wneud Cynllun Campus!"

"Ditectifs Cysgu Cŵl!" meddai Sara, a dyma hi'n rhoi'n hergwd i Mel i godi ei chalon.

Dechreuodd Sam giglan. "Rhaid i ni gael cip ar y cipiwr cathod," meddai.

"Yn enwedig Cipiwr Cathod Cydweli!" meddai Ali. "Chi'n gwbod pwy dwi'n feddwl:

Hen fenyw fach Cydweli

Yn gwerthu Losin du!"

"Hen fenyw, rhowch hi'n ôl i Mel!

Mel piau hi ac nid y chi," ychwanegodd Sara.

Chwarddodd pawb, hyd yn oed Mel.

"Fe ffonia i'n syth ar ôl cyrraedd adre," addawodd.

Ro'n i wedi bod yn meddwl tra oedd y lleill yn dweud jôcs. (Dwi'n dda i ddim am ddweud jôcs.) Doeddwn i ddim yn siŵr beth allen ni wneud; ac ro'n i'n poeni achos doedd gyda ni ddim chwyddwydrau na chamerâu na'r pethau eraill sy eu hangen ar dditectifs.

"Beth yn union fyddwn ni'n wneud?" gofynnais. "Os nad yw hi wedi dod adre, ble ydyn ni'n mynd i edrych gyntaf?"

Stopiodd Ali wenu a rhwbiodd ei thrwyn. "Falle dylen ni fynd i'r siop anifeiliaid anwes. Falle bod rhywun wedi dod o hyd iddi ac wedi meddwl mai cath strae yw hi."

"Bydden nhw wedi mynd â hi i gartref anifeiliaid," meddai Sam. "Neu at yr RSPCA."

"Mae'n rhif ffôn ni ar ei choler," meddai Mel, a dechreuodd edrych yn ddiflas eto. "Petai rhywun wedi dod o hyd iddi, bydden nhw wedi ffonio."

"Allai hi fod wedi colli ei choler?" gofynnais. Nodiodd Sara.

"Mae'n cath ni'n tynnu'i phen o'i choler yn aml, achos dydych chi ddim i fod cau coler cath yn rhy dynn."

"Falle'i bod hi wedi colli'r coler," meddai Mel. "Roedd e braidd yn llac ac roedd darn o lastig arno fe."

"'Na ti 'te!" Chwifiodd Sam ei breichiau yn yr awyr. "Mwy na thebyg fe aeth hi'n sownd mewn coeden neu rywbeth ddoe, a bore 'ma fe dynnodd ei phen yn rhydd o'r coler—"

"Ac mae hi'n eistedd ar dy wely di'r munud hwn!" gwaeddodd Sara.

Gwenodd Mel arnon ni. "Diolch," meddai. "Dwi'n teimlo'n well nawr."

"Wnei di ffonio ta beth, hyd yn oed os yw hi wedi dod yn ôl?" gofynnais.

"Wrth gwrs." Cododd Mel ei bag. "Fe wibia i adre i weld ar unwaith." Rhedodd i ffwrdd ac fe aeth pawb arall adre hefyd.

# PENNOD TRI

Deg munud ar ôl i fi gyrraedd adre canodd y ffôn. Nid Mel oedd 'na, ond Ali. Doedd Mel ddim yn cael ffonio mwy na dwy ohonon ni, meddai hi, ac roedd yn rhaid pasio'r neges. Ta beth, dwedodd Ali fod Losin yn dal ar goll, ac roedden ni i gyd yn mynd i alw yn y siop anifeiliaid anwes ar ôl ysgol fory.

"Os nad yw Losin yn y siop, gallwn ni i gyd ddod yn ôl i'n tŷ ni i wneud cynllun," dwedais.

"Fel mae'n digwydd," meddai Ali, "mae pawb yn dod yn ôl i'n tŷ ni. Dwi wedi trefnu'n barod. O, ac mae mam Mel wedi dweud y gallwn ni gael cyfarfod o'r Clwb yn eu tŷ nhw nos Wener er mwyn i ni gael codi calon Mel . . . neu ddathlu, os yw Losin wedi dod adre. Iawn?"

"Iawn," dwedais. "Dwi'n meddwl."

"Wela i di fory 'te," meddai Ali gan roi'r ffôn i lawr.

Rhoddais y ffôn i lawr hefyd. Weithiau mae Ali'n bosi iawn. Dydyn ni bron byth yn cwrdd yn tŷ ni ar ôl ysgol a'n tŷ ni yw'r gorau o bell ffordd. Mae Mam yn falch iawn o'n gweld ni hefyd. Mae hi'n gwneud cacennau arbennig i ni ac yn prynu pob math o fisgedi gwahanol.

Roedd yn rhaid i ni aros am Twm, fy mrawd, cyn mynd i'r siop anifeiliaid drannoeth. Mae e'n cerdded adre gyda fi, ac mae Mam yn dweud ei fod yn rhy ifanc i gerdded adre ar ei ben ei hun. Roedd ei ddosbarth e'n hwyr yn dod mas; mae'r rhai bach yn cymryd oesoedd i wisgo'u cotiau.

Tra oedden ni'n aros, dwedodd Mel ei bod hi wedi dechrau ar y gwaith ditectif yn barod.

"Y person ola i weld Losin oedd Mam," meddai. "Roedd Losin yn sboncio mas drwy'r fflap, ac roedd hi'n edrych yn union 'run fath ag arfer. Ac rydyn ni wedi edrych ym mhob cwpwrdd, sièd a drôr, achos cafodd cath ffrind Mam ei chau yn y cwpwrdd twym am chwech diwrnod tra oedden nhw ar eu gwyliau."

"Oedd y gath yn iawn?" gofynnodd Sara.

Nodiodd Mel. "Oedd. Roedd hi'n denau, ond fe wellodd ar ôl cael rhywbeth i'w fwyta."

Roedd Sam yn edrych yn feddylgar. "Sut olwg oedd ar y cwpwrdd twym?"

Ro'n i'n gwybod yn iawn beth fyddai'r cwestiwn nesa. Mae Sam yn hoffi gwybod am bethau ych-a-fi. Drwy lwc, y funud honno daeth Twm rownd y gornel, felly neidiais i lan.

"'Drychwch!" dwedais. "'Co Twm! Dewch!"

Dechreuodd Twm rwgnach pan glywodd am y siop anifeiliaid, ond fe wellodd pan ddwedodd Mel hanes Losin. Mae gan Mel frodyr iau, felly mae hi'n gwybod sut i siarad ag e.

"Fe edrycha i amdani," meddai Twm. "Dwi'n dda iawn am weld pethau."

Aethon ni i gyd i mewn i'r siop gyda'n gilydd. Dyw'r siop ddim yn fawr iawn, felly fe lanwon ni'r lle mwy neu lai. Roedd cewyll dros y waliau a thros y llawr hefyd. Doedd dim ots gen i'r cewyll oedd yn llawn o adar bach yn canu, ond wnes i ddim edrych ar gewyll y llygod mawr gwinglyd.

25

Doedd Mr Garrod ddim yn falch iawn o'n gweld ni, a dyw hynny ddim yn deg achos y cwsmer sy bob amser yn iawn. A ta beth, mae Sam yn prynu llwythi o fwyd llygod o'r siop ac mae mam Ali yn prynu bwyd cŵn.

"Gobeithio bod gyda chi reswm da dros ddod i'r siop," meddai. "Dwi wedi blino ar blant yn dod i mewn i edrych ar y cathod bach. Siop yw hon, nid sw."

"Cathod bach!" meddai Sam. "O, Mr Garrod, ble maen nhw?"

Ochneidiodd Mr Garrod yn uchel iawn a phwyntiodd at gawell mawr yn y gornel. A dyna lle'r oedden nhw—tair cath fach drilliw, ac un fach fach ddu fflwfflyd oedd yn rhedeg ar ôl ei chynffon, rownd a rownd a rownd.

"O!" Roedd Ali mewn cymaint o frys i weld y gath fach, fe faglodd dros ei thraed. "'DRYCHWCH! Mae hi'n *union* 'run fath â Mwffin!"

"Pwy 'di Mwffin?" gofynnodd Sara.

"Fy nghath fach i oedd Mwffin, ond mae wedi marw," meddai Ali. "Roedd hi mor *annwyl*. Dwi'n dal i weld eisiau Mwffin fach. Roedd hi'n ddu drosti gyda smotyn bach gwyn o dan ei gên. O, Mr Garrod, ga i gydio ynddi? *Plîîîs!* Dim ond am funud?"

Ochneidiodd Mr Garrod eto, yn uwch nag o'r blaen, ond fe ddaeth draw aton ni. "Mae hon yn boen," meddai gan dynnu'r gath fach ddu o'r cawell a'i rhoi yn llaw Ali. "Mae'n dianc byth a hefyd. Bydda i'n falch o'i gweld hi'n mynd o 'ma."

Roedd Ali'n syllu ar y gath fach a'i llygaid yn disgleirio. "Fe a' i â hi!" meddai. "Fydd dim ots gan Mam a Dad. Mae bowlen fwyd Mwffin yn dal yn y cwpwrdd! Faint yw hi?" A dechreuodd dynnu ei phwrs o'i phoced gydag un llaw wrth anwesu'r gath gyda'i llaw arall.

Syllodd Sam, Sara, Mel a fi arni'n syn.

"Wyt ti'n siŵr na fydd dy fam a dy dad yn malio?" meddai Sara. "Ddylet ti ddim mynd adre i ofyn gynta?"

Ysgydwodd Ali ei phen. "Dwi'n *gwbod* y byddan nhw'n falch," meddai. "Mae Mam yn gwbod 'mod i'n hiraethu am Mwffin ac mae Pepsi'n hŷn nawr—bydd hi'n falch o gael anifail arall i chwarae gyda hi."

"Miaw," meddai'r gath fach. Roedd hi mor ddoniol! Roedd hi fel petai'n deall pob gair.

Roedd Ali bron â drysu. "*Rhaid* i fi ei chael hi!" meddai. "'DRYCHWCH! Mae hi'n gwbod mai gyda fi mae hi i fod."

"Pum punt," meddai Mr Garrod. "Dwedodd y perchennog, 'Pum punt i gartre da'."

Rhoddodd Ali'r gath fach yn ei siaced ac agorodd ei phwrs. "All rhywun roi benthyg punt i fi?" gofynnodd. "Dim ond pedair sy gen i—na, pedair punt dau ddeg."

Ymbalfalon ni yn ein pocedi. Roedd deg ceiniog gan Sara, a phum deg gan Mel. Doedd gen i ddim arian o gwbl, na Sam chwaith.

Gwyliodd Mr Garrod ni'n rhoi'r arian ar y cownter.

"Hm," meddai. "Pedair punt wyth deg. Falle galla i werthu cath ddrwg am bris bargen," ac am unwaith fe wenodd wrth sgubo'r arian i'w law ac yna i'r til.

"Diolch!" meddai Ali. "Hon fydd y gath fach hapusa'n y BYD!"

Fe fuon ni'n mwytho a maldodi'r cathod bach trilliw, tra aeth Mr Garrod i gefn y siop. Byddwn i'n hoffi cael cath fach, ond dyw anifeiliaid anwes ddim yn lân, meddai Mam. Hefyd mae hi'n dweud eu bod nhw'n achosi i

Twm gael asthma, er nad yw e byth yn cael asthma pan fydd e'n chwarae gydag anifeiliaid yn nhai pobl eraill.

Daeth Mr Garrod yn ôl gyda darn o bapur a bocs cardbord mawr gyda thyllau ynddo.

"Dyma ti," meddai gan roi'r papur i Ali. "Mae hi wedi cael ei phigiadau i gyd. Rho bedwar pryd bach o fwyd bob dydd iddi a gofala fod dŵr ar ei chyfer. Nawr rho hi yn y bocs a cher â hi adre." Gwenodd Mr Garrod eto. "A phaid â dod â hi'n ôl! Dwi'n rhy hen i redeg rownd y siop bum gwaith y dydd!"

Roedden ni ar ein ffordd mas pan gofiais i pam oedden ni wedi dod i'r siop yn y lle cyntaf.

"Os gwelwch chi'n dda," dwedais, "oes rhywun wedi dod â chath strae i mewn?"

Trodd Mel fel top. "Waw, Ffi!" meddai. "Da iawn! Sut *gallwn* i fod wedi anghofio Losin fach?"

Ond dwedodd Mr Garrod nad oedd neb wedi sôn am gath strae ac yn bendant doedd neb wedi dod ag un i'r siop.

"Os sgrifennwn ni hysbyseb, wnewch chi ei rhoi yn y ffenest?" gofynnais.

"Wrth gwrs." Roedd Mr Garrod yn hapus iawn nawr. "Dewch â'r hysbyseb i mewn, ac fe ofala i am ei rhoi yn y ffenest."

Ar ôl mynd allan, taflodd Mel ei breichiau amdana i. "Mae'r hysbyseb yn syniad mega-gwych," meddai. "Fe sgrifennwn ni sawl un yn nhŷ Ali ac fe ofynnwn ni a gawn ni eu rhoi ym mhob siop. Wyt ti'n meddwl y cawn ni ddefnyddio cyfrifiadur dy dad, Ali?"

"Hm?" Doedd Ali ddim yn gwrando. Roedd hi'n dal y bocs cardbord mawr yn ofalus iawn iawn ac yn ceisio sbecian drwy un o'r tyllau.

"Allwn ni ddefnyddio'ch cyfrifiadur chi?" gofynnodd Mel.

"Siŵr o fod," meddai Ali. "Dwi'n meddwl y bydd Dad yn y tŷ pan awn ni adre. Roedd e a Mam yn mynd i rywle gyda'i gilydd y prynhawn 'ma—paid â gofyn i ble. Roedden nhw'n pallu dweud—roedd e'n gyfrinach."

"Ww!" meddai Sam. "Pa fath o gyfrinach?"

Gwenodd Ali. "Cyfrinach am y gwyliau, dwi'n meddwl, achos pan ofynnais i i Mam ble oedden ni'n mynd ar ein gwyliau haf, 'drychodd hi ar Dad a winciodd Dad arni hi, ac wedyn fe ddwedodd y ddau falle cawn i syrpreis . . . ond allen nhw ddweud dim mwy ar hyn o bryd."

"O!" Roedd Sam yn siomedig. "Mae oedolion mor ddiflas."

Yn sydyn cydiodd Sara yn fy mraich. "FFI!" meddai. "Ble mae Twm?"

# PENNOD PEDWAR

Rhedon ni'n ôl i'r siop fel y gwynt. Roedd fy nghalon yn crynu fel iâr fach yr ha', ond roedd popeth yn iawn. Roedd Twm yn eistedd ar y cownter yn siarad â Mr Garrod—ac yn ei law roedd llygoden fawr!

WAAAAAAAAAAAAAAA!

Doeddwn i ddim wedi bwriadu sgrechian. Ond roedd e'n gymaint o sioc—ac roedd y llygoden mor FAWR! Roedd hi'n rhedeg yn gyflym hefyd. Pan sgrechiais i, neidiodd Twm—ond neidiodd y llygoden fawr yn uwch. Gwnaeth Twm a Mr Garrod eu gorau i'w dal, ond methodd y ddau—ac i ffwrdd â'r llygoden fel mellten gan milltir yr awr.

"'Co hi!" gwaeddodd Twm a thaflodd ei hunan ar y llawr. Doedd e ddim wedi bwriadu taro'n erbyn y sach o fwyd cwningen, ond siglodd y sach . . . ac i lawr â hi ar ei ben bron iawn. Tasgodd y peli bach caled a'r darnau fflat meddal i bobman.

"STOP!" gwaeddodd Mr Garrod. "STOP—neu fydd gen i ddim siop ar ôl!"

Rhewodd Twm . . . a phob un ohonon ni. Dwi'n siŵr bod Ali a Sam yn chwerthin nes oedden nhw bron â byrstio, ond fe guddion nhw y tu ôl i focs cardbord y gath rhag ofn i Mr Garrod eu gweld.

"Nawr, MAS â chi!" meddai Mr Garrod, ac fe wibiodd Ali, Sam a Sara drwy'r drws. Cydiodd Mel yn llaw Twm, ac i ffwrdd â'r ddau. Ro'n i'n mynd i ddilyn, ond fe stopiais. Ro'n i'n teimlo'n euog am y llanast—mae Twm yn frawd i fi, wedi'r cyfan.

Anadlais yn ddwfn a llyncu fy mhoer.

"Mr Garrod," dwedais. "Mae'n ddrwg *iawn* gen i."

Edrychodd Mr Garrod arna i'n gas. "Mae'n dda gen i glywed hynny!" meddai. "*Edrych* ar y cawdel! Dylwn i ddweud wrth dy fam."

"Helpa i chi i sgubo'r llawr," dwedais, ac yna bues i bron â chael ffit. Roedd y llygoden fawr wedi cropian mas. Roedd hi'n bwyta'r bwyd cwningen—ac roedd llygoden fawr *arall* yn ei dilyn! Llygoden ddu ENFAWR!

Byddwn i wedi sgrechian eto, petawn i'n gallu. Ond roedd fy nhafod yn sownd yn fy ngheg. Allwn i wneud dim ond syllu.

Symudodd Mr Garrod fel mellten—a chododd y ddwy lygoden fawr—yr un frown yn gyntaf, ac yna'r un ddu enfawr. Roedd e'n falch o weld yr un ddu—wir i ti! Rhoddodd e gusan bach iddi! IYYYYYCH!

"Aha!" meddai Mr Garrod. "Fe ddest ti'n ôl ata i, 'rhen gariad!"

YCH-A-FI! Roedd gan Mr Garrod lygoden fawr ym mhob llaw, ac roedd eu cynffonnau main llithrig yn cordeddu am ei fysedd! Ro'n i eisiau cau fy llygaid, ond allwn i ddim.

Cyn hir roedd y llygod mawr yn ôl yn ddiogel yn eu cawell a chaeodd Mr Garrod y drws yn dynn. "Wel—rwyt ti wedi dychryn fy llygoden i, Miss Sidebotham, ac wedi sarnu'r bwyd cwningen—ond rwyt ti wedi dod o hyd i'r llygoden orau sy gen i! Felly mae popeth yn iawn rhyngddon ni. Ond gwell i ti fynd adre glou cyn i fi newid fy meddwl!"

Nodiais. Ro'n i'n dal i fethu siarad. Anelais yn syth am y drws.

"Os yw dy frawd bach eisiau prynu llygoden fawr," galwodd Mr Garrod, "galla i gael gafael ar un! Un rad iawn hefyd."

"NA—y—dim diolch," galwais a rhedais ar ôl y lleill.

Siaradodd Twm am lygod mawr yr holl ffordd i dŷ Ali. Yn anffodus roedd e wedi clywed Mr Garrod, a gofynnodd i fi sawl gwaith faint oedd pris llygoden "rad iawn". Dwedais i wrtho sawl gwaith am fod yn dawel, ond wedyn dwedodd Sam wrtho fod llygod mawr yn ffantastig. Ond waeth i Twm anghofio am lygod. Byddai'n well gan Mam gael dyn o'r gofod yn byw yn y tŷ na llygoden fawr. Dwi'n meddwl y byddai'n well gen inne hefyd.

Roedd Ali'n iawn. Pan gyrhaeddon ni'r tŷ, roedd ei mam a'i thad yno. Roedden nhw'n cael paned o de yn y gegin ac roedd rhyw olwg hapus iawn arnyn nhw. Ta beth roedden nhw'n falch o'n gweld ni hefyd, hyd yn oed Twm. Agorodd mam Ali focs newydd o fisgedi a llanwodd ei thad y tegell.

"Wel—pa declyn dieflig sy gen ti yn y bocs 'na, Ali?" gofynnodd ei thad pan gerddon ni i mewn. "Rhywbeth arbennig o erchyll i'r Clwb Cysgu Cŵl?"

Aeth wyneb Ali'n binc iawn. "O, *Dad*!" meddai. "Dyma'r peth gorau sy wedi digwydd i fi oddi ar i Mwffin farw. EDRYCHWCH!" Ac fe agorodd y bocs cardbord.

Dwi ddim yn gwybod beth oedd y gath fach wedi bod yn ei wneud yn y bocs. Roedd hi'n dawel iawn yr holl ffordd adre: dim un gwich na miaw. Falle 'i bod hi'n cynllunio beth i'w wneud pan gyrhaeddai hi'r tŷ. Daeth allan o'r bocs fel mellten ddu, rhedodd yn syth lan y llenni a mewiodd nes bod y sŵn yn atsain i lawr y stryd.

Neidiodd mam Ali ar ei thraed, a gollyngodd tad Ali'r jŵg laeth. Gwaeddodd Twm, a rhedodd Ali ar ôl y gath. "Mwffin! Mwff, mwff, mwff!" galwodd. "Paid â chael ofn!" Sbonciodd y gath; sbonciodd o ben y llenni a glanio ar fwrdd y sinc. Roedd y bwrdd yn llawn o wydrau a chwpanau. Llithrodd y gath ar draws y sinc gyda'r cwpanau . . . ond fe lanion *nhw* ar y llawr a wnaeth hi ddim.

"Wps!" meddai Sara, a rhedodd i'w dal, ond trodd y gath yn sydyn a neidio ar y ford. Tro Sam oedd hi wedyn, ond roedd y gath yn rhy gyflym. Neidiodd yn ôl i ben y llenni, dringodd i'r top a chuddio y tu ôl i'r rheilen.

"ALI!" meddai ei mam. *"Beth ar y ddaear yw hwnna?"*

"Mae hi wedi cael ofn," meddai Ali. "Fe ddaw hi lawr nawr mewn munud. O, on'd yw hi'n gath fach annwyl—yr *anwylaf* yn y byd i gyd?"

Gorffennodd tad Ali sychu'r llaeth oedd wedi sarnu ar y llawr a chododd oddi ar ei liniau gyda'r clwtyn gwlyb yn diferu yn ei law.

"Gwell i ni adael i'r creadur dawelu," meddai. "Os rhedwn ni i gyd ar ei hôl, fydd dim gobaith ei dal."

"Fe ddaw hi i lawr cyn hir," meddai Ali. "Dyw hi ddim yn ein 'nabod ni eto. Mam, ble wyt ti wedi rhoi hen fowlen Mwffin?"

Edrychodd ei mam arni. Roedden ni i gyd yn 'nabod yr olwg ar ei hwyneb—golwg Newyddion Drwg!

"O, Ali!" meddai. "Beth gododd yn dy ben

di? Allwn ni *ddim* cael cath fach—mae'n ddrwg gen i, ond mae'n hollol amhosib. Dwi ddim yn gwbod o ble cest ti honna, ond rhaid i ti fynd â hi'n ôl."

Ro'n i'n teimlo trueni dros Ali. Dwi'n gwybod ei bod hi'n bosi ac weithiau'n rhy bwysig ac yn dweud wrthon ni beth i'w wneud, ond byddai unrhyw un wedi teimlo trueni drosti. Edrychodd ar ei thad, ond ysgydwodd e 'i ben.

"Mae'n ddrwg 'da fi, cyw," meddai. "Does dim i'w wneud. Aros iddi gwpla dringo, a cher â hi adre."

"Alla i ddim," meddai Ali a chryndod yn ei llais. "Dwedodd Mr Garrod na allwn i ddim. Dyw e ddim yn fodlon ei chymryd hi'n ôl. A . . ."—edrychodd ar y cloc—"mae'r siop wedi cau nawr."

"Gall y gath ddod i'n tŷ ni dros nos," meddai Mel. "Os yw hynny o help i chi."

Gwenodd mam Ali. "Diolch i ti am gynnig, Meleri—ond fe ddown ni i ben am heno." Anwesodd law Ali. "Paid â chwympo mewn cariad â'r gath fach. Dwi ddim yn mynd i newid fy meddwl."

Nodiodd Ali. Ddwedodd hi ddim gair. Dwi'n meddwl y byddai hi wedi dechrau llefain, petai hi wedi agor ei cheg.

"Pam oeddech chi yn y siop anifeiliaid ta beth?" gofynnodd tad Ali. Roedd Mel wedi sylwi ar wyneb Ali, felly fe atebodd ar unwaith.

"Roedden ni wedi mynd i holi am Losin, fy nghath i," meddai. "Mae hi wedi diflannu, ac roedden ni'n meddwl falle bod rhywun wedi dod o hyd iddi ac wedi mynd â hi i'r siop anifeiliaid." Ochneidiodd. "Ond doedd neb."

"Roedd LOT o lygod mawr yno!" meddai Twm ar ei draws. "Roedd un wedi dianc, ond ffeindiodd Ffi hi! A dw i eisiau llygoden fawr."

"Bobol bach," meddai tad Ali. "Cathod ar goll, llygod mawr wedi dianc, a chath fach wyllt—beth nesa?"

Y funud honno disgynnodd y gath fach o ben y llenni. Sgipiodd ar draws y llawr a dechreuodd lyo'r teils lle'r oedd y llaeth wedi diferu.

"Ga i roi dŵr gyda diferyn o laeth iddi?" gofynnodd Ali, a nodiodd ei mam.

"Cer â hi i dy stafell ar ôl iddi orffen yfed. A gwell i ti fynd â'r bocs. O, a chofia roi papur newydd ar waelod y bocs-tŷ-bach oedd gan Mwffin. Ydy'r gath fach wedi dysgu sut i ddefnyddio bocs?"

"Dwi ddim yn gwbod," meddai Ali, ac aeth yn ara bach i nôl y llaeth.

# PENNOD PUMP

Dylet ti fod wedi'n gweld ni'n eistedd yn stafell Ali! DIFLAS. MEGA DIFLAS. Ac yna MEGA MEGA DIFLAS.

Dydyn ni ddim yn ddiflas fel arfer. Os wyt ti'n 'nabod y Clwb Cysgu Cŵl, rwyt ti'n gwybod ein bod ni wastad yn chwarae dwli ac yn chwerthin. Ond dyna lle'r oedden ni—gyda phlataid iymi o fisgedi siocled o'n blaenau—yn edrych mor ddiflas ag ieir ar y glaw.

Roedd y gath fach yn eistedd yng nghôl Ali. Doedd hi ddim yn edrych fel cath ddrwg oedd newydd sgrialu lan y llenni. Roedd hi'n canu grwndi mor giwt.

Roedd Mel yn syllu drwy'r ffenest. Roedd Sara'n gorwedd yn swp yn erbyn y wal. Roedd Sam yn gwgu ar ei thraed. Ro'n i'n gwylio'r gath fach. Allwn i ddim credu bod Ali'n gorfod mynd â hi'n ôl. Mae Mam yn gwrthod cael *unrhyw* anifail yn y tŷ, wrth gwrs, ond mae gan Ali gi, ac mae'n haws o lawer cadw cath. Rwyt ti'n gorfod mynd â chi am dro a chwarae gydag e, ond does dim rhaid i ti wneud hynny gyda chath.

Tra o'n i'n meddwl am gathod, fe gofiais am Losin ac eisteddais i fyny.

"Rhaid i fi fynd â Twm adre cyn hir," dwedais. (Ro'n i wedi ei adael lawr stâr yn gwylio *Planed Plant*. Mae e'n DWLU ar *Planed Plant*.) "Ydyn ni'n mynd i wneud yr hysbysebion nawr?"

Atebodd neb ar y dechrau ac yna'n sydyn plygodd Mel ei phen tuag at y ffenest a phwyntiodd.

"Hei! Ffi—oes 'na gath ar y wal draw fan'na?"

Brysiais at y ffenest, ond doedd dim sôn am gath. Cododd Ali a daeth hi a'r gath fach i edrych.

"O, un o gathod Mrs Bowen yw honna," meddai Ali. "Mae gyda hi *ddwsinau* o gathod. Mae hi'n casglu cathod, dwi'n credu."

"MEL!" Rhuthrodd Sam at y ffenest hefyd. "Os yw hi'n casglu cathod, falle'i bod hi wedi casglu Losin! Falle'i bod hi'n cerdded drwy'r dre gyda sach fawr—"

Nodiodd Sara. "Mae hi'n galw, 'Pws, pws!' Ac mae hi'n cario pennau pysgod drewllyd yn y sach—"

"A phan mae'r cathod yn rhedeg ati, mae hi'n eu dal ac yn mynd â nhw adre i ychwanegu at ei chasgliad!" meddai Mel. Yna edrychodd yn ofidus iawn. "Ydych chi'n meddwl ei bod hi wedi dal Losin?"

"Fe gawn ni weld nawr!" meddai Ali. "Dewch draw i edrych!"

"Allwn ni ddim!" dwedais i. "Allwn ni ddim cerdded i mewn a dweud, 'Gadewch i ni weld eich cathod chi nawr'!"

"Gallen ni—gallen ni gynnig ei helpu hi!" meddai Ali. "Mae Mam wastad yn dweud bod angen help arni, druan fach! Gallen ni ddweud—"

"Gallen ni ddweud mai sgowtiaid ydyn ni!" meddai Sam. "Roedd y sgowtiaid yn arfer dod i'r tŷ unwaith y flwyddyn a dweud 'Bob a job', meddai Dad. Os oedd gyda chi waith

43

iddyn nhw, roeddech chi'n talu *bob*. Dim ond pum ceiniog oedd *bob*, meddai Dad."

"Ond dydyn *ni* ddim yn fechgyn," dwedais, ac am ryw reswm chwarddodd y lleill dros y lle.

"Mae o'n syniad da," meddai Sara. "Mi fedren ni . . . ym . . ."

"Chwynnu!" meddai Ali. "Mae gardd Mrs Bowen yn llawn o chwyn! Ac fe gawn ni ddigon o gyfle i gadw llygad ar Mrs B ac ar ei chathod!"

Ochneidiodd Sara'n uchel. "Dwi'n CASÁU chwynnu."

"A finne," meddai Sam. "Ond mae ditectifs yn dda am esgus! Fory fe fyddwn ni'n sbiwyr Cysgu Cŵl—yn cuddio yn yr ardd."

"Byddai'n well gen i smalio bod yn daten," meddai Sara.

"Sara Pen-taten!" meddai Ali, felly taflodd Sara obennydd ati. Neidiodd y gath fach o'r ffordd. Methodd Sam ei dal. Taflodd Ali'r gobennydd yn ôl at Sara, ond plygodd Sara ei phen a—FFLOP!—glaniodd y gobennydd ar ben y bisgedi siocled.

\* \* \*

Ar ôl i ni ddal y gath a chodi rhai o'r briwsion oddi ar y carped, aethon ni ati i drafod y cynllun.

"Fe ofynna i i Mam," meddai Ali. "Bydd hi'n fodlon i ni helpu Mrs Bowen, dwi'n siŵr. Wedyn fe allwn ni alw drws nesa ar y ffordd adre o'r ysgol. Mae hi wastad gartre yn y prynhawn."

Nodiodd Sara. "Yn y nos mae hi'n dal cathod, siŵr iawn."

"Yn y nos dywyll, pan mae llygaid y cathod yn disgleirio!" meddai Sam.

"Dydyn ni ddim yn mynd i aros mas yn hwyr, ydyn ni?" dwedais.

"Os byddwn ni ar y trywydd, pwy a ŵyr?" meddai Ali gan daflu ei breichiau ar led fel actores.

"Falle byddwn ni'n cripian drwy'r cysgodion, yn stelcian drwy'r strydoedd tywyll!" hisiodd Sam.

"Yn llechu y tu ôl i'r llwyni llychlyd, wrth i sŵn traed trymion lusgo heibio . . ." sibrydodd Ali.

"Ond dyw hi ddim yn tywyllu tan yn hwyr," dwedais. "Alla i ddim aros mas tan hynny."

"Na ninnau chwaith," meddai Sara. "Ond mi fedrwn ni ddychmygu . . ."

Ochneidiodd Mel. "Byddai'n grêt petaen ni'n dod o hyd i Losin drws nesa," meddai.

"Fory fe fyddwn ni'n gwbod y gwir, yr holl wir, a dim ond y gwir!" meddai Ali.

Codais eto. "Gwell i fi fynd â Twm adre."

"Mi ddo i efo ti," meddai Sara. "Dwi wedi addo mynd adre'n gynnar."

"A fi," meddai Sam.

"A fi." Anwesodd Mel y gath fach. "Ta ta, pws."

"Beth wyt ti'n mynd i'w wneud â hi?" gofynnais.

Ochneidiodd Ali. "Dwi ddim yn gwbod. Falle bydd Mam yn cael brêns newydd ac yn newid ei meddwl yng nghanol y nos. Fe feddylia i fory."

Aethon ni i gyd yn dawel. Druan ag Ali.

Roedd sŵn crafu i'w glywed y tu allan i'r drws.

"Shhhh!" Cododd Sara ei llaw, a rhewodd pawb. Cripiodd Sara at y drws ar flaenau'i thraed—a'i daflu ar agor.

Dyfala pwy oedd 'na!

Neb ond Twm, yn anffodus. Roedd gwên fawr ar ei wyneb.

"Twm y pla!" llefodd Ali a Sam gyda'i gilydd, a gwenodd Twm o glust i glust.

"Ers pryd wyt ti fan'na?" gofynnodd Sara.

"Dwi ddim yn mynd i ddweud wrthot ti," meddai. "Ydyn ni mynd adre nawr?"

"YDYN!" dwedais a dyma fi'n gafael ynddo fel plismon ac yn gwneud iddo gerdded o 'mlaen i lawr y grisiau.

Ar y ffordd adre roedd Twm yn dal i holi cwestiynau am lygod mawr.

"Mae Sam yn cadw'i llygoden hi yn y garej," meddai. "Wyt ti'n meddwl y bydd Mam yn fodlon i fi wneud 'run fath?"

"NA," dwedais.

"Falle bydd Dad yn fodlon i fi gadw llygoden fawr yn ei dŷ e," meddai Twm. "Neu yn y garej."

"Twm," dwedais. "Mae Ali a Sam yn iawn. Rwyt ti'n BLA."

"Nadw," meddai Twm, ond doedd e ddim yn swnio mor grac ag arfer. "Allwn ni fynd yn ôl i'r siop anifeiliaid fory ar ôl ysgol?"

"Na," dwedais. "Dwi'n rhy brysur."

"*Plîs!*" meddai Twm. "Os doi di gyda fi, wna i ddim dweud wrth Mam dy fod ti'n mynd i sbïo ar y fenyw sy'n dal cathod!"

"*Beth?*" dwedais.

Chwarddodd Twm. "Clywais i chi'n siarad! Clywais i *lot* o bethau. Rwyt ti'n mynd i fod yn sbïwr! Rwyt ti'n mynd i fod yn sbïwr!" A dyma fe'n neidio ar un goes gan ganu mewn llais dwl.

"Fel mae'n digwydd," dwedais i, "rwyt ti wedi gwneud camgymeriad. Roedden ni'n siarad amdanat *ti*. *Ti* yw'r sbïwr."

"NAGE!" gwaeddodd Twm. "Dwi'n mynd i ddweud wrth Mam beth ddwedest ti nawr."

Sniffiais. "Dwed beth fynnot ti," dwedais. "Fe ddweda i wrthi hi dy fod *ti*'n gwrando wrth ddrws stafell wely Ali!"

Caeodd Twm ei geg wedyn. Ddwedon ni ddim gair wrth ein gilydd am weddill y ffordd adre.

# PENNOD CHWECH

Pan gwrddon ni yn yr ysgol drannoeth, roedd Ali'n hapusach o lawer.

"Gofynnais i i Mam a allen ni helpu Mrs Bowen a dwedodd hi ei fod e'n syniad mega-gwych!" Winciodd Ali ar Sam. "Dwedodd ein bod ni'n magu cyfrifoldeb cymdeithasol, ac roedd hi'n falch iawn."

"Oedd hi'n ddigon balch i adael i ti gadw'r gath?" gofynnodd Sara.

Gwgodd Ali. "Na. Dwedodd hi bod rhaid i fi fynd â'r gath yn ôl i'r siop prynhawn 'ma."

"Alli di ddim," meddai Sam. "Mae'r siop yn cau am hanner diwrnod."

"Ydy hi? Galla i 'i chadw hi am ddiwrnod arall 'te!" Gwenodd Ali ar unwaith. "Mae hi'n llawer mwy dof nawr. Bore 'ma daeth hi i lawr o'r llenni bron yn syth ar ôl i fi alw arni."

Ar y gair dyma'r erchyll M&Ms yn cerdded heibio.

"Ydych chi wedi dod o hyd i'r botel dŵr twym eto?" meddai'r ddwy ag un llais, gan guro cefnau'i gilydd a sgrechian chwerthin.

"Maen nhw'n gorfod chwerthin am ben eu jôcs eu hunain," meddai Ali, mewn llais uchel iawn. "Fyddai neb arall yn chwerthin."

"Pam ych chi'n siarad am botel dŵr twym?" Rhidian Scott oedd yno. Doeddwn i ddim wedi'i weld e'n dod, ond yn sydyn roedd e'n sefyll y tu ôl i ni. Tynnais fy llaw dros fy ngwallt, ond stopiais pan welais i Ali'n procio Sam. Mae Ali'n meddwl 'mod i'n ffansïo Rhidian Scott. Does dim o'i le ar hynny ta beth. Mae e'n fachgen neis iawn.

"Rhidian—paid â sôn," meddai Sam. "Mae'r ddwy 'na *mor* pathetig."

"Mae 'nghath i ar goll ac maen nhw'n meddwl bod hynny'n ddoniol," meddai Mel wrtho. "Mae hi wedi bod ar goll am dri diwrnod ac maen nhw'n dweud jôcs twp amdani o hyd."

Roedd Rhidian yn llawn cydymdeimlad. "Aeth fy nghath i ar goll unwaith," meddai.

"Ddaeth hi'n ôl?" gofynnais.

"Na," meddai. "Fe gafodd ei lladd ar yr hewl."

"Diolch yn dalpe," meddai Mel. "Dwi'n teimlo lot yn well nawr." Ac i ffwrdd â hi ar draws yr iard. Aeth Ali gyda hi, a Sara a Sam, ond wnes i ddim. Ro'n i'n siŵr bod Rhidian wedi bwriadu gwneud i Mel deimlo'n well, hyd yn oed os oedd pethau wedi mynd o chwith.

"Mae gen i syniad," meddai Rhidian. "Dwed wrth Meleri am ddod i 'mharti i. Dydd Gwener mae'r parti." Ces i deimlad rhyfedd yn fy mol. Roedd Rhidian Scott yn gwahodd *Mel* i'r parti! Mel a neb arall! Dwi'n meddwl bod fy ngheg ar agor led y pen, achos edrychodd e'n od arna i.

"Dewch i gyd," meddai, pan welodd e Daniel McRae. "Hei! Dan! Aros i fi!" Rhedodd ar ôl Dan a gwaeddodd dros ei ysgwydd, "Tua saith o'r gloch. Os oes gyda chi dapiau da, dewch â nhw!"

\* \* \*

Pan glywodd y lleill am y gwahoddiad i barti Rhidian, doedden nhw ddim yn teimlo'n gyffrous o gwbl.

"Mae nos Wener yn noson Clwb yn tŷ ni," meddai Mel. "Dwyt ti ddim yn cofio?"

"Allen ni ddim mynd i'r parti gynta a chael Clwb wedyn?" dwedais. Taflodd Ali gipolwg ar Sam. Fel arfer roedden nhw'n rhannu jôc â'i gilydd, ond nid â fi.

"Pwy sy eisiau mynd i barti Rhidian Scott?" meddai Sam. "Bydd e'n llawn o fechgyn â thraed chwyslyd yn siarad am ddim ond am bêl-droed, pêl-droed, pêl-droed!"

"Rwyt ti'n hoffi pêl-droed," dwedais.

Snwffiodd Ali. "Dydyn ni ddim eisiau clywed am Dan yn cwympo i'r mwd un deg saith o weithiau a sut byddai Rhidian wedi sgorio gôl oni bai bod y gôli yn y ffordd, a pha mor glyfar maen nhw i gyd."

"Faswn i ddim yn malio," meddai Sara. "Mi fedren ni siarad amdanyn nhw wedyn! Does dim rhaid i ni aros am hir, ac ella cawn ni hwyl."

Dwedodd Mel, "Beth am bleidleisio?"

A dyna wnaethon ni. Pleidleisiodd Ali a

Sam yn erbyn. Fe ges i syndod pan bleidleisiodd Mel gyda Sara a fi.

"Dwi'n hoffi'r syniad o siarad wedyn," eglurodd. "A—gyda lwc—falle bydd rhywun yn y parti wedi gweld cath fach sy ar goll!"

"Gallen ni wneud yr hysbysebion," dwedais. "Gallen ni ddisgrifio Losin a rhoi dy rif ffôn di."

Ces i wên fawr gan Mel. "Ffi," meddai, "rwyt ti'n DWLU ar Rhidian Scott—ac mae hynny'n beth dwl—ond rwyt hi hefyd yn cael syniadau call dros ben."

Wedi hynny, roedd hyd yn oed Ali a Sam yn meddwl bod y parti'n syniad da.

Ro'n i'n falch iawn, ond pan ddechreuais i siarad am ddillad parti, dwedon nhw wrtha i am aros tan ddydd Gwener.

"Diwrnod *sbïo* yw hi heddi!" meddai Ali, ac yna canodd y gloch ac roedd rhaid i ni fynd i mewn i'r ysgol.

Ro'n i'n lwcus. Bob dydd Mercher mae Twm yn mynd i gael te gyda'i ffrind Cefin, y llipryn llwyd, felly doedd dim sôn amdano pan aethon ni i dŷ Ali. Wrth gwrs roedd yn rhaid i ni ruthro i mewn i ddweud helô wrth y gath fach. Roedd hi yn stafell Ali, yn cysgu mewn bocs sgidiau fel pelen fach fflwfflyd.

"Ooooo!" meddai pawb. "Aaaaa!" Roedd hi'n edrych mor giwt, ond wnaethon ni mo'i dihuno.

"Gwaith gynta," meddai Ali'n llym, ond petai'r gath ar ddihun, Ali fyddai'r gynta i roi cwtsh iddi, betia i ti.

Aethon ni i lawr y stâr ac ar hyd yr hewl. Roedd fy stumog i'n cordydi, ac un Sara hefyd, dwi'n meddwl. Roedd tŷ Mrs Bowen yn eitha mawr ac roedd wal uchel o'i gwmpas. Roedd yna gât, ond roedd y lle'n edrych yn sbwci.

"Chi'n gweld," sibrydodd Ali. "Unwaith mae'r cathod yn cael eu dal, allan nhw ddim dianc!"

"Gallan," dwedais. "Gwelodd Mel un ar y wal y noson o'r blaen."

"Dim ond y cathod sy wedi eu hypnoteiddio sy'n cael mynd mas," meddai Sam. "Dyw'r rheiny ddim eisiau dianc."

Crychodd Mel ei thrwyn. "Allwch chi ddim hypnoteiddio cathod," meddai. "Maen nhw'n gwneud yn union beth maen nhw'n moyn!"

"Pwy sy'n mynd i guro ar y drws?" gofynnais. Doeddwn i ddim eisiau clywed rhagor o storïau Ali a Sam.

Edrychodd Ali ar Sam ac edrychodd Sam ar Ali.

"Fe gawson ni syniad!" meddai Sam, a dechreuodd hi giglan. "Yn gynta rhaid i ni ddarganfod a yw Mrs Bowen yn gathgipiwr go iawn!"

"Sut?" gofynnais.

"Wel," meddai Ali. "Os yw hi, bydd hi eisiau dal cymaint o gathod ag y gallith hi. Iawn?"

"Siŵr o fod," dwedais. Nodiodd Sara.

"Beth wyt ti'n feddwl?" gofynnodd Mel.

Pwysodd Ali yn erbyn wal tŷ Mrs Bowen. "Wel —os clywith hi ddwy gath fach unig yn sgrechian ar yr hewl o flaen y tŷ, bydd hi'n dweud 'Aha! Dwy bwsi fach arall i 'nghasgliad i!' A bydd hi'n rhuthro mas i'w dal."

"Ond does gyda ni ddim dwy gath unig," dwedais.

Dechreuodd Ali a Sam giglan eto. "Oes mae," meddai Ali, a dechreuodd hi fewian . . . a mewiodd Sam hefyd!

"WAAAAWWWWWW . . . . MIIIIIAAAA-
WWWWWW . . . WAAAAAW!" sgrechiodd
y ddwy. "WAWWWL!"

Dechreuodd Mel a Sara a fi chwerthin.
Roedden nhw'n edrych mor ddoniol. Roedden
nhw'n rholio'u llygaid wrth fewian.

CLEC! Agorodd y ffenest uwch ein pennau.

Tawelodd Ali a Sam ar unwaith, ond
roedden nhw'n rhy hwyr.

SBLASH! Disgynnodd bwcedaid o ddŵr ar
eu pennau—roedden nhw'n wlyb *sopen*! A
galwodd llais bach, "Ewch i ffwrdd! Ewch i
ffwrdd, hen gathod cas!" Ac yna caeodd y
ffenest yn glep.

Dwi erioed wedi chwerthin gymaint. Roedd
fy ochrau'n brifo, a 'mol i hefyd. Ro'n i'n
brifo drosta i. Pwyson ni i gyd yn erbyn y wal
mewn rhes, ac roedd Sam ac Ali'n chwerthin
ac yn diferu ar yr un pryd.

"Mae'n bryd gweithredu Cynllun B,"
meddai Ali o'r diwedd. "Wel—ar ôl i Sam a fi
redeg adre i newid."

"Iawn," meddai Sam. "Dyw Mrs Bowen
*ddim* yn rhuthro mas i ddal cathod—rydyn ni

wedi profi hynny!" A dechreuodd hi chwerthin eto.

"Beth yw Cynllun B?" gofynnais.

"Curo ar y drws," meddai Ali. "Mae Mam wedi dweud wrthi ein bod ni'n mynd i alw."

"Mae hi'n ein disgwyl ni?" dwedais.

"O ydy," meddai Ali. "Ond yn gynta roedden ni eisiau gweld a oedd hi'n gathgipiwr."

"O," meddai Sara. Dwi'n siŵr ei bod hi, fel fi, yn teimlo y dylai Ali fod wedi dweud hynny wrthon ni cyn dechrau.

Rhuthrodd Ali a Sam adre i newid. Roedd rhaid i Sam gael benthyg rhai o ddillad Ali. Gan fod y ddwy mor wahanol roedd Sam yn edrych yn od iawn! Mae Ali'n dal ac yn denau, ac mae Sam dipyn yn llai. Roedd siwmper Ali'n cyrraedd at ei phennau gliniau.

"Barod?" meddai Ali. "Cynllun B amdani!"

# PENNOD SAITH

Ro'n i'n teimlo'n ofnus iawn pan agorodd Mrs Bowen y drws. Beth os oedd ein harbrawf ni wedi methu? Beth os *oedd* hi'n gathgipiwr go iawn? Beth allen ni wneud? A sut bydden ni'n gwybod pa gathod oedd wedi cael eu cipio a pha gathod oedd yn perthyn iddi hi? Roedd popeth mor anodd.

"Dewch mewn, da chi," meddai Mrs Bowen, a dyna'r union lais bach glywson ni drwy'r ffenest. Roedd hi *yn* fach hefyd—doedd hi ddim talach na Mel.

"Gobeithio nad oes ots gyda chi," meddai, "ond dwi wedi paratoi te i ddiolch i chi am ddod 'ma." Ochneidiodd. "Dwi *mor* falch o gael cwmni. Fel arfer dwi'n gweld neb ond fy chwaer a 'nghathod bach annwyl!"

Cerddon ni ling-di-long i mewn i'r gegin.

WAW!

Roedd llwyth o de ar y ford—y te mwya iymi, mega-blasus, FFANTASTIG a welaist ti ERIOED!

Safon ni'n stond a syllu gyda'n llygaid bron â neidio o'n pennau.

Gwenodd Mrs Bowen. Roedd hi'n edrych yn wirioneddol hapus. Roedd ganddi wyneb mor annwyl, fe wenon ninnau hefyd. Roedd cywilydd arna i 'mod i hyd yn oed wedi *meddwl* pethau cas amdani. Ro'n i'n falch nad o'n i ddim wedi dweud storïau amdani'n cario pennau pysgod drewllyd mewn bag ac yn dal cathod liw nos—hyd yn oed os mai jôcs oedden nhw. A ro'n i'n falch iawn na wnes i ddim mewian o flaen ei thŷ . . . er i fi chwerthin dros y lle.

Hwn oedd y te gorau erioed. Roedd un gacen gydag eisin siocled ac un gydag eisin coffi. Roedd byns, a bisgedi, a sgons, a jam, a llond bowlen fawr o hufen. Eisteddon ni i lawr a wnes i ERIOED fwyta cymaint. Sut yn y byd oedden ni'n mynd i allu plygu i godi chwyn?

Roedd Mrs Bowen wrth ei bodd yn ein gwylio ni'n bwyta. Roedd hi'n cynnig mwy a mwy o fwyd i ni, ac roedd hi'n hoffi siarad hefyd. Dwedodd hi enwau ei chathod wrthon ni, ac ro'n i'n teimlo'n waeth ac yn waeth, achos roedd hi'n berson na fyddai byth bythoedd wedi cipio cath rhywun arall.

Siaradon ni i gyd fel pwll tro. Dwedon ni wrthi am y Clwb Cysgu Cŵl, ac roedd hi'n meddwl ei fod e'n syniad GWYCH.

"Trueni nad oedd gen i gystal ffrindiau pan o'n i'n fach," meddai. "Mae cymaint o bethau diddorol ar eich cyfer chi y dyddiau 'ma. Partïon, dillad pert a Chlybiau Cysgu Cŵl."

"Rydyn ni'n mynd i barti ddydd Gwener," dwedais. "Cyn i ni fynd i dŷ Mel i gael cyfarfod o'r Clwb."

"*Ydych* chi?" Disgleiriodd wyneb Mrs Bowen. "A beth fyddwch chi'n wisgo?"

Ro'n i newydd ddechrau sôn am fy sgert newydd gyda'r sêr bach arian a'r top gyda rubanau arian, pan giciodd Sam fi o dan y ford. Gwgodd Sara dros y gacen siocled.

"Rydyn ni i gyd yn mynd," meddai Sam, "ond dim ond i gael help i chwilio am gath

Mel. Dydyn ni ddim yn ffansïo Rhidian Scott. Mae'n bryd iddo fe ddysgu siarad am rywbeth heblaw pêl-droed."

"Ydych *chi* wedi gweld Losin?" gofynnodd Mel yn obeithiol. "Cath drilliw frown tywyll yw hi ac mae ganddi dair pawen wen."

Cododd Mrs Bowen yn sydyn o'r ford a'i llygaid yn llawn dagrau.

"O!" meddai. "Druan â ti, cariad bach! Does *dim* yn waeth na cholli cath, a meddwl tybed ble mae hi, a phoeni a oes rhywun yn gas wrthi! *Wrth gwrs* fe wna i edrych amdani!" A brysiodd rownd y ford at Mel a mwytho ei hysgwydd—yn union fel petai hi'n gath! Edrychodd Mel yn syn, ond dwi'n meddwl ei bod hi wedi mwynhau.

"Oes gan unrhyw un arall ohonoch chi gath?" gofynnodd Mrs Bowen ar ôl eistedd i lawr.

Anadlodd Ali'n ddwfn—ac fe ddwedodd hanes y gath fach ddu wrth Mrs Bowen, a sut oedd hi'r un ffunud â Mwffin. Gwrandawodd Mrs Bowen ac roedd ei llygaid mor ddisglair, roedd hi'n edrych fel deryn bach.

"Wel," meddai. "Mae gen i ateb hawdd

iawn i'r broblem, ond dwi ddim yn siŵr a fyddi di'n cytuno. Pam na ddoi di â'r gath draw yma? Ti fydd piau hi, ac fe gei di ddod i'w gweld pryd mynni di. Dwi'n siŵr y bydd hi'n hapus—bydd gyda hi ddigon o gathod i gadw cwmni iddi, a gardd fawr i chwarae ynddi!"

"O! Byddai hynny'n *hyfryd*!" Neidiodd Ali ar ei thraed a thaflu ei breichiau o amgylch Mrs Bowen. Tro Mrs Bowen oedd hi i edrych yn syn, ond gwenodd ar Ali. Roedd ei sbectol ar dro o achos Ali, ond sylwodd hi ddim. "Paid ag anghofio gofyn i dy fam," meddai. "Dwi ddim am i ti wneud dim heb ganiatâd."

"Alla i fynd i moyn y gath nawr?" gofynnodd Ali. "Fe ofynna i i Mam gynta—ac os yw hi'n fodlon, ga i ddod â hi?"

Nodiodd Mrs Bowen, a gwibiodd Ali drwy'r drws.

Roedd y gath fach yn berffaith gartrefol yn nhŷ Mrs Bowen, fel petai hi wedi byw yno erioed. Pan ddaeth Ali â hi i mewn, roedd hi'n gwichian ac yn gwingo fel 'slywen flewog, ond cyn gynted ag y rhoddodd Ali hi ar y carped, eisteddodd y gath fach i lawr, edrychodd o'i chwmpas a dechrau glanhau ei blew. Dechreuodd ganu grwndi hyd yn oed — fel injan fach.

"Wel," meddai Mrs Bowen. "Dwi'n gallu gweld pam cwympaist ti mewn cariad â hon! Wyt ti wedi dewis enw iddi?"

Eisteddodd Ali i lawr yn ymyl y gath fach. "Dwi wedi dewis Mwffin," meddai. "'Run fath â 'nghath arall i."

"Enw da iawn," meddai Mrs Bowen. "Ac mae hi'n edrych yn gysurus! Nawr, ydych chi eisiau gweld yr ardd?"

Roedden ni i gyd wedi anghofio ein bod ni wedi dod yno i chwynnu'r ardd! Doedd Mrs Bowen ddim am i ni wneud gormod o chwynnu ta beth—roedd hi'n rhy garedig a ffeind—ond pan mae 'na bump ohonoch chi, mae'n fwy o hwyl na gweithio ar eich pen eich hun. Roedd yn rhaid iddi ddangos y chwyn i ni—fe stryffagliodd Sara i dynnu rhywbeth tebyg i hen ysgallen fawr, nes i Mrs Bowen ddweud mai ysgallen arbennig oedd hi a'i bod hi'n ddigon hapus i'w gweld yn tyfu yn yr ardd.

(Dwi'n meddwl falle bod Mrs Bowen yn

falch o'n gweld ni'n rhoi'r gorau i arddio. Dwedodd ein bod ni wedi gwneud gwaith da, ond roedd hi'n poeni am yr ysgallen, dwi'n siŵr.)

Aethon ni'n ôl i dŷ Ali am bum munud cyn mynd adre. Doedd Ali ddim eisiau gadael Mwffin, ond dwedodd Mrs Bowen y gallai hi ddod draw pryd mynnai hi, a phawb arall hefyd.

"Bydd y cathod yn falch iawn o weld wynebau newydd," meddai. Dwedodd y byddai'n edrych am Losin hefyd.

"Mae 'na gathod strae yn dod yma weithiau," meddai. "A dweud y gwir, roedd dau hen gwrci'n ymladd ar yr hewl yn gynharach y prynhawn 'ma. Ond wnân nhw ddim sgrechian o flaen fy nhŷ i eto. Roedd rhaid i fi fod yn greulon a dysgu gwers iddyn nhw."

Pan soniodd Mrs Bowen am y ddau gwrci, allen ni ddim dweud gair. Llyncodd Sara'n sydyn a phesychodd Sam. Wedyn fe ddiolchon ni'n gynnes iawn iawn iddi, ac i ffwrdd â ni.

Ar y ffordd adre fe wnaethon ni adduned. Cydion ni yn nwylo ein gilydd ac addawon ni y bydden ni *bob amser* yn gofalu am Mrs Bowen.

"Ydych chi'n meddwl y dylen ni ddweud wrthi mai *ni* oedd y ddau gwrci?" gofynnodd Sam.

Dechreuodd Mel chwerthin. "Roedd hi'n gwbod, dwi'n siŵr."

"BETH?" Syllodd Sara, Ali, Sam a fi arni.

"Os sylwoch chi," meddai Mel, "ofynnodd hi ddim pam oedd eich gwallt chi'ch dwy'n wlyb? Roedd hynny'n *od*! Dyw merched ddim fel arfer yn dod i de mewn dillad rhyfedd a'u gwallt yn diferu."

"O." Edrychodd Sam yn feddylgar. "Ac fe ddwedodd hi ei bod wedi dysgu gwers iddyn nhw . . ."

"Roedd hi'n iawn!" meddai Sara. "Trueni na fasach chi wedi gweld eich wynebau pan ddisgynnodd y dŵr!" A dechreuon ni chwerthin unwaith yn rhagor.

# PENNOD
# WYTH

Fe ges i syniad da arall fore drannoeth. Ydw, dwi'n gwybod 'mod i'n brolio, ond fel mae Mam wastad yn dweud, sut mae pobl yn mynd i wybod pa mor glyfar ydych chi os na ddwedwch chi wrthyn nhw?

Ro'n i ar fy ffordd i'r ysgol a Twm yn rhygnu 'MLAEN a 'MLAEN a 'MLAEN am lygod mawr, pan ges i'r syniad. Gallen ni ofyn i Mrs Roberts a gaen ni sgrifennu'r hysbysebion am Losin yn yr ysgol ac yna'u printio! Mae cyfrifiaduron yr ysgol yn arbennig—gallwch chi ddewis border a theip a phob math o liwiau.

Cwrddais i â Sara a Sam gynta ac roedden nhw'n meddwl ei fod e'n syniad clyfar iawn, felly fe sonion ni wrth Mrs Roberts pan welson ni hi'n cerdded ar draws yr iard.

"Syniad da," meddai hi. "Falle dylai'r dosbarth i gyd gymryd rhan. Gallwch chi i gyd sgrifennu disgrifiad o Losin a fydd yn cyffwrdd â chalon y darllenydd!" Ac i ffwrdd â hi i'r stafell athrawon.

Ali a Mel oedd y nesaf i gyrraedd ac roedden nhw'n llawn brwdfrydedd hefyd, er doedden nhw ddim yn siŵr a ddylai'r dosbarth cyfan roi cynnig arni.

"Dim ond y rhai gorau fyddwn ni'n defnyddio ta beth," meddai Sam. "Ac fe allwn ni wneud sawl copi o'r rheiny a mynd â nhw i barti Rhidian."

"Dwi ddim eisiau dosbarthu taflenni *drwy'r nos*," dwedais.

Rhoddodd Sam blwc bach i 'ngwallt. "Paid â phoeni, Miss Llygaid-llo. Bydd gyda ti ddigon o amser i lygadu Rhidian a'i ddallu â'r sêr sy ar dy sgert."

"Sut wyt ti'n gwbod bod gen i sêr ar fy sgert?" dwedais.

"Dwyt ti ddim yn cofio?" meddai Ali gan droi yn ei hunfan. "Fe fuest ti am oriau ddoe yn disgrifio pob pwyth a phob seren i Mrs Bowen."

"Fues i ddim!" dwedais. "Ciciodd Sam fi ac fe stopiais i!"

"Wnes i *ddim*!" meddai Sam. "Damwain oedd hi."

"WWWWWW!" Roedd yr M&Ms yn mynd heibio. "Cweryla eto? A ninne'n meddwl eich bod chi i gyd yn cwtsio'n hapus gyda'ch poteli dŵr twym!"

I ffwrdd â nhw gan bwyso'n erbyn ei gilydd a chwerthin nes oedden nhw'n sâl.

Tynnodd Sara wyneb cas. "Fedrwch chi ddim meddwl am jôc newydd?" gwaeddodd ar eu holau.

"Does neb ar y ddaear yn fwy pathetig na nhw," meddai Ali gan grychu'i thrwyn.

"Mae rhaid i ni setlo'r M&Ms," meddai Sam. "Oes gan rywun syniad da?"

Ond doedd gan neb un.


Pan ddwedodd Mrs Roberts wrth y dosbarth ein bod ni'n mynd i sgrifennu disgrifiad o'r gath ac yna ychwanegu brawddeg neu ddwy, dyfala pwy wnaeth ochneidio'n uchel?

IE! Yr M&Ms.

Hoeliodd Mrs Roberts ei llygaid main

arnyn nhw. "Emma ac Emily," meddai, "dwi'n edrych 'mlaen at weld eich gwaith chi. Rydych chi'n ferched clyfar a dwi'n siŵr y meddyliwch chi am rywbeth addas."

Eisteddodd yr M&Ms i fyny ac edrychon nhw'n hunanfodlon iawn. "Allwn ni weithio gyda'n gilydd, Miss?" medden nhw.

"Popeth yn iawn," meddai Mrs Roberts.

Fe weithion ni mewn grwpiau o ddau neu dri, ond cyn i ni ddechrau sgrifennu, gofynnodd Mrs Roberts i Mel sefyll ar ei thraed a disgrifio Losin. Yna gofynnodd Mrs Roberts a oedd gan rywun gwestiwn i'w ofyn. Gofynnodd Dan gwestiwn dwl—"Ydy Losin yn byw mewn bocs siocled?"—ond ddwedodd neb arall air. Aethon ni ati i sgrifennu.

Cyn hir gofynnodd Mrs Roberts a oedd rhywun wedi gorffen ac a fydden ni'n hoffi darllen ein gwaith.

Mel aeth gynta. Darllenodd hi:

"Mae Losin yn gath arbennig achos dwi'n ei charu hi gymaint. Dyw hi ddim yn bert iawn, er dw i'n meddwl ei bod hi. Cath drilliw frown tywyll yw hi gyda thair

69

pawen wen, ac mae hi'n eitha blewog. Pan adawodd hi'r tŷ roedd hi'n gwisgo coler gwyrdd. Mae fy rhif ffôn ar y coler. Os ydych chi wedi ei gweld hi, ffoniwch OS GWELWCH CHI'N DDA—achos dwi'n hiraethu amdani."

Dwedodd Mrs Roberts bod hwnna'n ardderchog, ac yna aeth draw at ford yr M&Ms.

"Nawr, Emma ac Emily," meddai. "Beth yw eich cynnig chi?"

Cilwenodd y ddwy. Dyna sut wên oedd hi —gwên gul a phwysig. Yna darllenodd Emma:

"Losin yw enw 'nghath fach i.
Mae'n annwyl ac yn giwt.
Mae ganddi hi dair pawen wen
A thrilliw yw ei siwt.
Mae'n cysgu ar fy nhraed bob nos,
A chwtsio yn fy nghôl.
Os gwelwch chi fy Losin fach,
Plîs dewch â hi yn ôl."

Curodd pawb eu dwylo heblaw ni. Roedd Sam a Mel yn edrych ar ei gilydd a gwelais i Sam yn croesi ei llygaid. Roedd Ali'n esgus taflu i fyny'n dawel bach, a rholiodd Sara ei llygaid arna i.

Wrth gwrs roedd Mrs Roberts yn meddwl bod y pennill yn arbennig o mega-clyfar—y pennill gorau a sgrifennwyd erioed.

"Wel, dyna ti, Meleri," meddai. "Hoffet ti ddefnyddio pennill Emma ac Emily? Byddan nhw'n ddigon bodlon, dwi'n siŵr. Fe wna i baratoi'r cyfrifiadur yn ystod yr awr ginio . . . a dwi'n meddwl y dylet ti ddiolch iddyn nhw am eu gwaith caled."

Ar ôl gwingo yn ei sedd dyma Mel yn mwmian, "Diolch yn fawr." Roedd yr M&Ms yn dal i wenu eu gwên bwysig, bwysig.

Cododd Ali ar ei thraed. "Mrs Roberts," meddai. "Dwi'n meddwl y dylai Mel ddefnyddio'r darn sgrifennodd hi."

Doedd Mrs Roberts ddim yn hoffi'r syniad. "Ali," meddai, "ti a Meleri awgrymodd y dylai hwn fod yn waith dosbarth. Dwi ddim yn meddwl y gallwch chi newid eich meddwl nawr—yn enwedig gan fod Emma ac Emily wedi sgrifennu pennill mor hyfryd."

Eisteddodd Ali i lawr.

*　　*　　*

Dyna'r bore gwaetha erioed. Roedd yr M&Ms yn dal i wenu fel dau gargoil salw, ac fe gynigion nhw sgrifennu penillion i bawb yn y dosbarth. Yn y diwedd fe gafodd Mrs Roberts lond bol a dwedodd wrthyn nhw am fod yn dawel.

Amser cinio fe arhoson ni yn y stafell ddosbarth ac fe brinton ni rhyw ugain copi o bennill pathetig yr M&Ms, a'u rhoi yn y bocs a gawson ni gan Mrs Roberts i'w cadw'n lân. Gadawon ni'r bocs ar y ford yn ymyl y cyfrifiadur; doedden ni ddim yn teimlo awydd mynd ag e adre.

"Does dim rhaid i ti eu defnyddio nhw," meddai Sara, wrth i ni gerdded yn ddiflas i'r iard.

"Na," meddai Ali. "Gallwn ni deipio dy un di ar gyfrifiadur Dad heno."

Ochneidiodd Mel. "Iych! Roedd rhaid i fi *ddiolch* i'r M&Ms. Alla i ddim dod draw heno chwaith. Mae Mam yn dweud bod rhaid i fi fynd adre'n syth am unwaith."

"A fi," meddai Sara. "Ydyn ni'n dal i fynd i barti Rhidian fory? Ac yna cael Clwb?"

"Dwi ddim yn siŵr," meddai Mel yn drist.

"Soniodd Mam rywbeth am ffrind sy'n dod i aros dros y penwythnos. Fe gewch chi wybod fory."

Canodd y gloch, ac fe lusgon ni'n traed i gyfeiriad y stafell ddosbarth. Roedd hi ar ben arnon ni am BYTH—dyna sut oedden ni'n teimlo—ond yna newidiodd popeth!

# PENNOD NAW

Amser mynd adre oedd hi. Roedden ni i gyd yn cloncan tra o'n i'n disgwyl am Twm, pan gofiodd Sara'n sydyn ei bod wedi gadael ei bag ar ôl. Rhedodd yn ôl i'r stafell ddosbarth —*a dyna lle'r oedd yr M&Ms yn printio dwsinau o gopïau o'u pennill yn ddistaw bach!*

Wrth gwrs rhuthrodd Sara allan i ddweud wrthon ni.

"Pan welson nhw fi," meddai Sara â'i gwynt yn ei dwrn, "fe ddiffoddon nhw'r cyfrifiadur yn syth bìn, ond mi welais i'r pentwr o gopïau—er i Emma eistedd ar ei ben."

Agorodd ceg pawb fel ogof fawr.

Syllais i.

"Ond pam maen nhw eisiau copïau?" gofynnodd Sam.

"Beth ddwedon nhw?" meddai Ali.

"Beth ddwedaist *ti*?" meddai Mel.

Gwenodd Sara'n ddrygionus. "Cofiais i 'mod i'n dditectif," meddai. "Chwifiais fy llaw, cydiais yn fy mag a rhedais. Caeais y drws yn glep wrth fynd allan . . . ac yna fe swatiais tu allan a gwrando!"

"CŴL!" meddai Ali. "Beth glywaist ti?"

"Fedrwn i ddim dallt beth oedden nhw'n ddweud," meddai Sara. "Ond roedden nhw wedi ail-ddechrau printio'n syth ar ôl i fi adael y stafell—felly dwi'n *siŵr* eu bod nhw'n meddwl na welais i ddim byd."

"WAW!" Roedd llygaid Sam yn disgleirio. "Mae'r M&Ms yn gwneud rhyw ddrygioni eto—ond y tro 'ma rydyn ni gam ar y blaen!"

"Beth ddylen ni wneud 'te?" gofynnais.

"Dylai un ohonon ni gripian yn ôl i'r stafell," meddai Mel, "i weld beth maen nhw'n wneud nawr!"

"Fedra i ddim," meddai Sara. "Neu mi fyddan nhw'n amau bod rhywbeth o'i le."

"HEI!" Neidiodd Sam i'r awyr. "Dwi wedi

cael syniad! Ffi, cer *di*! Gofynna a ydyn nhw wedi gweld Twm!"

"BRIL!" Curodd Ali gefn Sam. "Wnân nhw ddim amau Ffi! Byddan nhw'n meddwl bod y Pla wedi dianc eto!"

Ro'n i hanner ffordd i'r stafell ddosbarth pan welais i'r M&Ms yn dod tuag ata i.

"Hai!" dwedais. "Ydych chi wedi gweld Twm?"

"Twt twt," meddai Emily. "Wyt ti wedi ei golli e? Rwyt ti mor esgeulus! Colli cath ac wedyn colli brawd! Gofala rifo bysedd dy draed cyn mynd i'r gwely heno!"

Wnes i ddim ateb. Cerddais yn syth heibio.

Wrth gwrs doedd Twm ddim yn y stafell ddosbarth—ond es i i mewn ta beth. Ro'n i eisiau bod yn dditectif hefyd. Roedden nhw wedi diffodd y cyfrifiadur ac roedd popeth yn daclus—nes i fi sylwi ar y bin sbwriel. Roedd y bin yn llawn dop o beli papur.

CLIWIAU! meddyliais, a chydiais yn y ddwy bêl oedd ar y top.

Ar y papurau roedd copi o'r pennill, fel dwedodd Sara. Roedd yr inc wedi rhedeg ar y ddau gopi—dyna pam oedd yr M&Ms wedi eu taflu. Codais a darllen y pennill yn gyflym—ac yna fe rewais. Do, wir! Rwyt ti'n aml yn darllen mewn stori am bobl yn "rhewi" ond doeddwn i erioed wedi deall ystyr y peth tan nawr. Wir—doedd dim teimlad yn fy nghoesau na'm breichiau. Ond roedd fy ymennydd yn dal i weithio. Ro'n i'n gallu darllen. A dyma beth ddarllenais i:

"Losin yw enw 'nghath fach i.
Mae'n annwyl ac yn giwt.
Mae ganddi hi dair pawen wen
A thrilliw yw ei siwt.
Bob nos mae'n cysgu ar fy nhraed
Sy'n drewi. Ych-a-fi!
Fe olcha i 'nhraed, os daw hi'n ôl—
Plîs dwedwch wrthi hi!"

Ro'n i bron â marw eisiau rhedeg yn ôl at y lleill a gweiddi nerth fy mhen, ond wnes i ddim. Edrychais ar bob un o'r peli eraill yn y bin. Roedd yr M&Ms wedi bod yn gweithio ar y pennill ac wedi newid darnau, ond—fel ditectif mega-clyfar—sylweddolais ar unwaith mai'r ddwy bêl ar y top oedd yr olaf i ddisgyn i'r bin—felly *dyna'r* copïau oedd yr M&Ms yn eu printio pan gerddodd Sara i mewn! Gwthiais y ddwy dudalen i 'mhoced a rhedais allan fel sgwarnog.

Roedd Ali a Mel yn eistedd ar fainc pan ruthrais i drwy'r drws. Roedd Sara a Sam yn siarad â Twm, a oedd yn edrych yn grac iawn. Fel arfer!

"Dwi eisiau mynd ADRE!" meddai pan welodd e fi. "Dwi eisiau mynd adre NAWR!"

"Twm," dwedais, "os byddi di'n fachgen da *iawn, iawn*, ac yn fodlon aros i fi am *ddeg* munud, fe gerddwn ni adre heibio i'r siop anifeiliaid."

Caeodd ei geg ar unwaith a sboncio draw at y pistyll dŵr.

Edrychodd y Clwb Cysgu Cŵl arna i. Roedden nhw'n gwybod ar unwaith bod gen i newyddion pwysig! Gwthiais fy llaw i 'mhoced, a thynnais y papurau allan fel dewin. Cydiodd Sara yn un a chydiodd Sam yn y llall, a syllodd Ali a Mel dros eu hysgwyddau.

"Hen bennill twp yr M&Ms yw hwnna," meddai Ali. "Pam wyt ti wedi dod . . . O!"

Roedd Mel a Sam newydd gyrraedd ail hanner y pennill hefyd.

"HA!" gwaeddodd Sam. "Mae'n RHYFEL!"

Darllenon nhw'r pennill eto. Ac eto.

"Da iawn, Ffi," meddai Mel, ac aeth fy wyneb yn binc.

"Beth ydyn ni'n mynd i'w wneud nawr?"' gofynnais.

Roedd Ali'n crychu ei hwyneb. "Chi'n gwbod be dw i'n feddwl? Dwi'n meddwl bod yr M&Ms yn mynd i roi'r copïau hyn yn y bocs yn lle'r pennill arall. A phan fyddwn ni'n dosbarthu'r pennill ym mharti Rhidian, bydd pawb yn darllen y sothach 'ma!"

Syllon ni arni. Wrth gwrs! Roedd hi'n iawn.

"Oedd y bocs yn dal yno?" gofynnodd Ali i fi.

"Oedd," dwedais. "Roedd e ar y ford."

"Dwi'n gwbod!" meddai Sam. "Beth am i ni dynnu'n penillion ni o'r bocs a rhoi rhywbeth ERCHYLL yn eu lle—rhywbeth fydd yn rhoi sterics iddyn nhw."

"PRYFED COP!" meddai Sara. "Dewch i ni roi pryfed cop yn y bocs."

"IYCH!" dwedais. "Dwi ddim yn mynd i ddal corynnod—dim hyd yn oed i ddychryn yr M&Ms!"

"Na fi," meddai Mel.

"Galla i ddal corynnod," meddai llais bach gwichlyd y tu ôl i ni.

Neidion ni—Twm oedd yno.

Ro'n i'n mynd i roi llond pen iddo am wrando'n slei bach unwaith *eto*, ond stopiodd Sam fi.

"Alli di ddal corynnod, wir, Twm?" gofynnodd.

"Wrth gwrs y galla i," meddai. "Sawl un wyt ti eisiau? Mae CANNOEDD yn ein sièd ni."

"Nac oes!" dwedais.

Roedd wyneb Twm braidd yn goch. "*Oes!* Fi roddodd nhw yn y sièd."

Gwasgodd Sara ei llaw dros fy ngheg. "Da iawn, Twm!" meddai. "Fedri di ddod â nhw i'r ysgol fory?"

Nodiodd Twm. "Ga i fynd â nhw'n ôl adre wedyn?"

"NA!" dwedais.

"Twm," meddai Sam, "os doi di â'r corynnod, fe gei di ddod i'n tŷ ni a chwarae gyda'r llygoden fawr. Dwi'n addo. Cris croes, tân poeth."

Meddyliodd Twm am funud. Yna edrychodd arna i. "Fyddwn ni'n mynd heibio i'r siop anifeiliaid ar y ffordd adre? Fe wnest ti addo."

Allwn i ddim gwrthod. "Byddwn," dwedais.

"FFAB!" Dechreuodd Ali ddawnsio rownd yr iard. "Hei—Ffi—gofala gyrraedd yma'n gynnar cyn y gloch! A bydd rhaid i ni wylio'r ddwy 'na'n ofalus *iawn*, rhag ofn iddyn nhw newid y penillion cyn i ni chwarae'n tric corryn-llyd dychrynllyd!"

"Help!" Edrychodd Sara ar ei wats. "Rhaid i fi fynd! Bydd Mam yn fy *lladd* i!"

"A finne," meddai Mel.

"Allwn ni fynd nawr?" meddai Twm.

"Gallwn," dwedais, ac i ffwrdd â ni.


Fore drannoeth cerddais i a Twm i'r ysgol un ar ôl y llall. Roedd bocs y corynnod y tu mewn i focs arall, dwi'n gwybod, ond ro'n i'n dal yn nerfus.

Roedd y lleill yn disgwyl amdanon ni.

"CŴL!" meddai Sam. "Pryd ydyn ni'n mynd i'w rhoi nhw yn y bocs?"

"Amser chwarae," meddai Sara. "Mi ro i'r bocs ar ein bwrdd ni, fel na fedran nhw gyffwrdd ag o tan hynny."

"Gwrandwch," meddai Mel yn araf. "Dwi'n meddwl yr arhosan nhw tan ddiwedd y dydd . . . rhag ofn i ni sylwi."

"Iawn 'te," meddai Ali. "O—a chofiwch ddod â'ch pyjamas nos fory. Mae Mam wedi dweud y gallwn ni gysgu yn tŷ ni ar ôl y parti."

"BRIL!"

Llusgo heibio wnaeth gwers gynta'r bore. Allwn i ddim stopio edrych ar fag Sam. Ro'n i'n gwybod bod y bocs o gorynnod yn y bag—a beth petaen nhw'n dianc? Ond, o leia, byddai rhaid iddyn nhw gnoi drwy ddau focs. IYCH!

Wedyn—allwn i ddim credu!—erbyn amser chwarae roedd hi'n bwrw glaw, felly doedd neb yn cael mynd mas o'r dosbarth. Dim ond un peth oedd yn codi'n calonnau—sef gweld yr M&Ms yn wincio ar ei gilydd a giglan. Roedden nhw'n cynllwynio rhywbeth—heb os nac oni bai. A gofynnon nhw dair gwaith yr un—"Ydych chi'n mynd i'r parti? Ydych chi'n mynd i roi copi o'r pennill i bawb?" Yn dawel bach edrychodd Sara yn y bocs i weld a oedden nhw wedi newid y pennill yn barod, ond doedden nhw ddim.

Erbyn amser cinio roedd y tywydd yn sych.

"Mrs Roberts, gawn ni dacluso'r stafell ddosbarth?" gofynnodd Emily mewn llais melys seboni-athrawes. "Byddai'n well gyda ni aros i mewn, achos dyw Emma ddim yn teimlo'n dda."

Dalion ni ein hanadl.

"Na, Emily," meddai Mrs Roberts yn bendant. "Rydych chi wedi bod i mewn drwy'r bore—fe wnaiff tipyn o awyr iach les i'r ddwy ohonoch chi." A dyma hi'n sgubo pawb allan o'i blaen heb ddim ffys.

"O—Mrs Roberts!" Yn sydyn roedd Ali'n sefyll wrth ei hysgwydd. "Ga i nôl fy siwmper o'r peg?"

"Brysia 'te," meddai Mrs Roberts, ac i ffwrdd ag Ali ar ras gan daflu winc aton ni.

Dyna'r tro cynta erioed i ni redeg yn ôl i'r dosbarth ar ôl cinio. Roedd popeth yn iawn—

fe gyrhaeddon ni cyn yr M&Ms, achos roedd Mrs Roberts wedi stopio Emma yn y coridor i ofyn sut oedd hi. Roedd y ddwy mewn hwyliau drwg!

Ro'n i'n fwy nerfus nag erioed drwy'r prynhawn. Roedd y bocs yn ôl ar y ford yn ymyl y cyfrifiadur—ond nawr roedd e'n llawn o gorynnod! Ond yn gynta fe gawson ni wers fathemateg, wedyn hanes—ac wedyn—alla i ddim dweud wrthot ti heb chwerthin!

Roedd hi bron yn ddiwedd y prynhawn. Roedden ni i gyd ar bigau'r drain. Beth os oedden ni wedi gwneud camgymeriad? Beth os *nad* oedd yr M&Ms yn golygu newid y pennill? Ac yna cododd Emily a mynd draw at y cyfrifiadur.

"Mrs Roberts," meddai, "ga i deipio fy nghywaith?"

Roedd Mrs Roberts yn brysur, felly nodiodd ei phen. Cododd Emma wedyn, ac aeth hi at y cyfrifiadur hefyd . . . gyda'i bag ar ei braich. Plygodd i lawr, winciodd ar Emily, tynnodd bentwr o bapurau o'i bag—ac yna fe fwrodd hi'n bocs ni oddi ar y bwrdd.

SGRECH! Roedd yr M&Ms yn sefyll ar

ben y bwrdd cyfrifiadur, yn cydio'n dynn yn ei gilydd ac yn sgrechian nerth eu pennau. Roedd papurau dros bobman ac roedd chwech o gorynnod tew yn rhedeg nerth eu coesau i guddio mewn cornel dywyll.

Ocê, dwi'n cyfaddef. Sgrechiais i hefyd. *Ac* fe neidiais ar ben ein bwrdd ni.

Roedd Mrs Roberts *mor* grac. Am unwaith fe *waeddodd* arnon ni i fod yn dawel . . . ac *yna* cododd hi un o'r darnau o bapur. Edrychodd arno'n sydyn, wedyn gwgodd yn gas.

"Beth YN UNION yw hwn?" gofynnodd.

Ac yna fe gawson ni'r stori i gyd. Roedd yr M&Ms wedi cael cymaint o sioc, fe ddwedon nhw bopeth wrth Mrs Roberts . . .

WHIW! Roedden ni'n teimlo trueni dros yr M&Ms—*bron iawn*. Ond wrth gwrs roedd rhaid i ni egluro pam oedd y corynnod yn y bocs. Felly—fe gawson ni lond pen gan Mrs Roberts hefyd. Rydyn ni i gyd yn gorfod codi sbwriel o'r iard bob amser chwarae wythnos nesa. Ond roedd e'n werth y drafferth!

# PENNOD DEG

Oeddet ti'n meddwl mai dyna ddiwedd y stori? Rwyt ti'n anghywir! Dwi ddim wedi dweud wrthot ti am y parti eto.

Paid â phoeni. Dwi ddim yn mynd i sôn am fy nillad—er eu bod nhw'n bert iawn. (Dwi *ddim* yn brolio. Dwedodd Rhidian 'mod i'n bert. A Mel hefyd.) Na, dwi'n mynd i ddweud wrthot ti am y peth RHYFEDDA erioed.

Roedden ni i gyd wedi trefnu i gwrdd y tu allan er mwyn i ni gael mynd i mewn gyda'n gilydd. Rydyn ni wastad yn gwneud hynny pan fyddwn ni'n mynd i barti. Wedyn does dim rhaid i ni sefyll o gwmpas heb gwmni. Ta beth, Mel oedd yr olaf i gyrraedd. Roedd hi allan o wynt.

"Beth sy'n bod?" meddai Sam.

"Aeth Dad â fi i'r cartref cathod," meddai Mel. "Ar ôl helynt yr M&Ms, fe gofiais i fod Losin fach ar goll o hyd. Roedd Dad yn deall sut o'n i'n teimlo, felly fe aethon ni i edrych —ond doedd hi ddim yno." Ochneidiodd Mel yn drist. "Dwi'n meddwl ei bod hi wedi mynd am byth." A rhedodd deigryn i lawr ei boch.

Yna fe wnaeth Ali rywbeth dewr a charedig iawn. Llyncodd yn galed a dwedodd, "Mel— hoffet ti gael Mwffin? Fe fydd Mwffin yn gwneud i ti deimlo'n well. Wir i ti!"

Ysgydwodd Mel ei phen. "Diolch, Ali," meddai. "Ond dwi ddim eisiau cath arall. Dim eto. Dwi eisiau Losin. Ond diolch i ti."

Pesychodd Ali braidd yn od. "Dewch 'te, i ni gael mynd o 'ma'n gynnar," meddai, ac fe ganodd gloch drws Rhidian.

Agorodd mam Rhidian y drws—ac yno, *ar ganol llawr y cyntedd*, roedd Losin! Roedd hi'n edrych yn denau iawn, ac roedd rhwymyn am ei phawen flaen, ond roedden ni i gyd yn ei 'nabod hi. Ac roedd hi'n 'nabod Mel. Dechreuodd ganu grwndi'n uwch nag unrhyw gath yn y byd—ac eisteddodd Mel ar garreg y drws a'i chwtsio a'i mwytho.

Roedd mam Rhidian yn garedig iawn. Dwedodd ei bod wedi dod o hyd i Losin yn yr ardd gefn. Roedd hi'n crio ac roedd ei phawen wedi chwyddo. Roedd wedi mynd â hi at y fet, i gael triniaeth i'w phawen, ond doedd neb yn gwybod o ble oedd hi wedi dod. Doedd hi ddim yn gwisgo'i choler—roedd hwnnw wedi dod yn rhydd.

"Wnaeth Rhidian ddim dweud wrthoch chi bod gyda ni gath strae?" gofynnodd.

"Na," meddai Ali, ac fe syllodd hi'n galed ar Rhidian pan ddaeth e allan i weld beth oedd yn bod.

Aeth wyneb Rhidian mor binc ag wyneb Twm pan fydd e wedi gwneud drygioni. "Do'n i ddim yn gwbod mai cath Mel oedd hi, wir!" meddai. "Dwedest ti fod gyda hi goler gwyrdd. A . . ." dechreuodd symud o un droed i'r llall, "roedd hi'n braf cael cath eto."

Edrychodd ei fam braidd yn od arno— braidd yn grac a braidd yn garedig ar yr un pryd. "Ond alli di ddim cael hon, Rhidian," meddai. "Cath Meleri yw hon." Meddyliodd am funud wrth i Rhidian ddal i syllu ar y

88

llawr. "Ond beth am i ni fynd i siop Mr Garrod fory i weld a oes 'na gathod bach ar werth?"

Roedd Rhidian mor falch, roedd e bron â byrstio. "Wir?" meddai a phan nodiodd ei fam, gwasgodd hi'n galed. Wedyn, pan sylwodd fod pawb yn gwylio, pesychodd a cheisio edrych yn cŵl. Ond roedd pawb yn gwybod ei fod wrth ei fodd.

Felly—yn y diwedd roedd pawb yn hapus. Roedd Mel mor falch o gael Losin yn ôl. Y noson honno yn y Clwb Cysgu Cŵl eisteddodd Losin ar ei thraed *drwy'r* nos. Roedd Mel yn pallu symud ac roedd rhaid i ni estyn Côc a bisgedi a phethau iddi, yn union fel petai hi'n frenhines.

A dyma ragor o newyddion hapus! Mae Mwffin WRTH EI BODD yn nhŷ Mrs Bowen. Mae'n tyfu'n fwy a mwy enfawr bob dydd. Rydyn ni'n mynd draw i'w gweld bob cyfle gawn ni—*ac* i weld Mrs B, wrth gwrs.

Beth arall? O—wyt ti'n cofio mam Ali'n dweud na allen nhw ddim cael cath, achos roedd rhywbeth arbennig yn mynd i ddigwydd yn yr haf? Rhyw fath o syrpreis? Wnest ti ddyfalu beth oedd e? Wnes i ddim.

MAE MAM ALI'N MYND I GAEL BABI!

Mae Ali mor hapus—fel petai neb yn y byd wedi cael babi erioed o'r blaen. Mae hi'n eitha caredig wrth Twm nawr, pan fydd e'n dod draw i weld llygoden fawr Sam. Dwi'n meddwl ei bod hi'n ymarfer ar gyfer cael brawd neu chwaer.

Un peth arall. Paid â chwerthin. Wyt ti'n addo? Gofynnodd Rhidian i fi fynd gydag e i nôl ei gath fach.

Dyma Ffion Medi Sidebotham yn dweud, "Diolch yn fawr iawn am dy gwmni."

Wela i di!

# Y CLWB CYSGU CŴL

Dere i ymuno â'r Clwb Cysgu Cwl:
Ali, Sam, Ffion, Sara a Meleri, pump
o ferched sy'n hoffi cael hwyl — ond
sy wastad mewn helynt.

**Pacia dy sach gysgu a dere i ddarllen
rhagor o storïau . . .**

# 1

## Y CLWB CYSGU CŴL YN NHŶ ALI

Mae Nia'r Urdd wedi colli ei chariad.
Does dim i'w wneud felly ond chwilio
am gariad newydd iddi. Mae'r merched
yn gwybod yn union pwy i'w ddewis —
Harri Hync. Ond sut mae trefnu dêt
rhwng y ddau? Wrth iddyn nhw gysgu'r
nos yn nhŷ Ali, mae'r merched yn
cynllunio. Ond dyw hi ddim yn hawdd!

£2.99

# 2

## Y CLWB CYSGU CŴL YN NHŶ FFION

Iym! Mae'r merched wedi coginio bwyd blasus ar gyfer y wledd ganol nos, ond dyw Ffion ddim yn bwyta, na Mel chwaith. Beth sy'n digwydd pan mae'r ddwy'n dihuno yn oriau mân y bore? Rhaid i bawb sleifio i lawr i'r gegin . . .

£2.99

# 4

# Y CLWB CYSGU CŴL AR NOS WENER 13

Pryd mae'r cyfarfod nesaf o'r Clwb?
Ar nos Wener . . . nos Wener y 13eg!
Mae Sam wedi paratoi pob math
o driciau erchyll a bwydydd ych-a-fi.
Does ryfedd fod Ffi druan yn crynu
yn nhraed ei sanau. Ond pwy gaiff
y sioc fwyaf, tybed?

**£3.50**